gemischter Chor

wise guys

Sing mal wieder

Das Chorbuch für gemischte Stimmen

ED 20430
ISMN M-979-0-001-15310-2

www.schott-music.com

Mainz · London · Berlin · Madrid · New York · Paris · Prague · Tokyo · Toronto
© 2008 SCHOTT MUSIC GmbH & Co. KG, Mainz · Printed in Germany

© 2008 Schott Music GmbH & Co. KG, Mainz

Internetadresse: www.schott-music.com
Alle Rechte vorbehalten.

1. Auflage 1 5 4 3 2 1 | 2011 10 09 08

Alle Drucke dieser Auflage sind unverändert und können im Unterricht nebeneinander verwendet werden. Die letzte Zahl bezeichnet das Jahr des Druckes.

Umschlagfoto: Guido Kollmeier, www.blende4.de / Sonja Tewinkel

Printed in Germany · BSS 52950

Bestellnummer: ED 20430
ISMN M-979-0-001-15310-2

Inhaltsverzeichnis

Liebe Sängerinnen und Sänger,

in Zeiten von „Deutschland sucht den Superstar" und anderen Casting-Shows sind wir manchmal stolz darauf, dass wir Wise Guys ein kleines, aber nicht unwichtiges Zeichen in eine andere kulturelle Richtung setzen können.

Erstens darf bei uns im Konzert (zumindest bei bestimmten Liedern) jede und jeder mitsingen. Dabei fällt uns immer wieder auf, wie gut unser Publikum singen kann!

Zweitens tragen bei uns im „Afterglow", in der Konzert-Nachfeier, häufig Chöre oder a-cappella-Gruppen den verbliebenen Zuschauern ein Ständchen vor. Der Applaus unseres Publikums ist dabei stets warmherzig und laut, was uns besonders freut. Es ist immer schön, wenn Leute singen, egal mit welchem Anspruch: Singen soll einfach Spaß machen. Nebenbei bemerkt: Die meisten Ensembles in unseren Afterglows singen richtig gut.

Es ist nur konsequent, dass wir neben unseren Songbooks auch vereinfachte Bearbeitungen unserer Songs herausgeben. Und das ist jetzt endlich der Fall. Mit diesem Band bieten wir gemischten Chören, Jugendchören und gemischten a-cappella-Gruppen geeignete Bearbeitungen unserer Lieder an. Einige unserer beliebtesten (und singbarsten) Songs wurden eigens dafür von engagierten Chormusik-Arrangeuren umgeschrieben.

Wir hoffen, Ihr habt viel Spaß damit und wünschen Euch alles Gute beim Einüben und Vortragen.

Herzliche Grüße, Eure
Wise Guys

Meine Deutschlehrerin

Text und Musik: Daniel „Dän" Dickopf
Satz: Severin Geissler

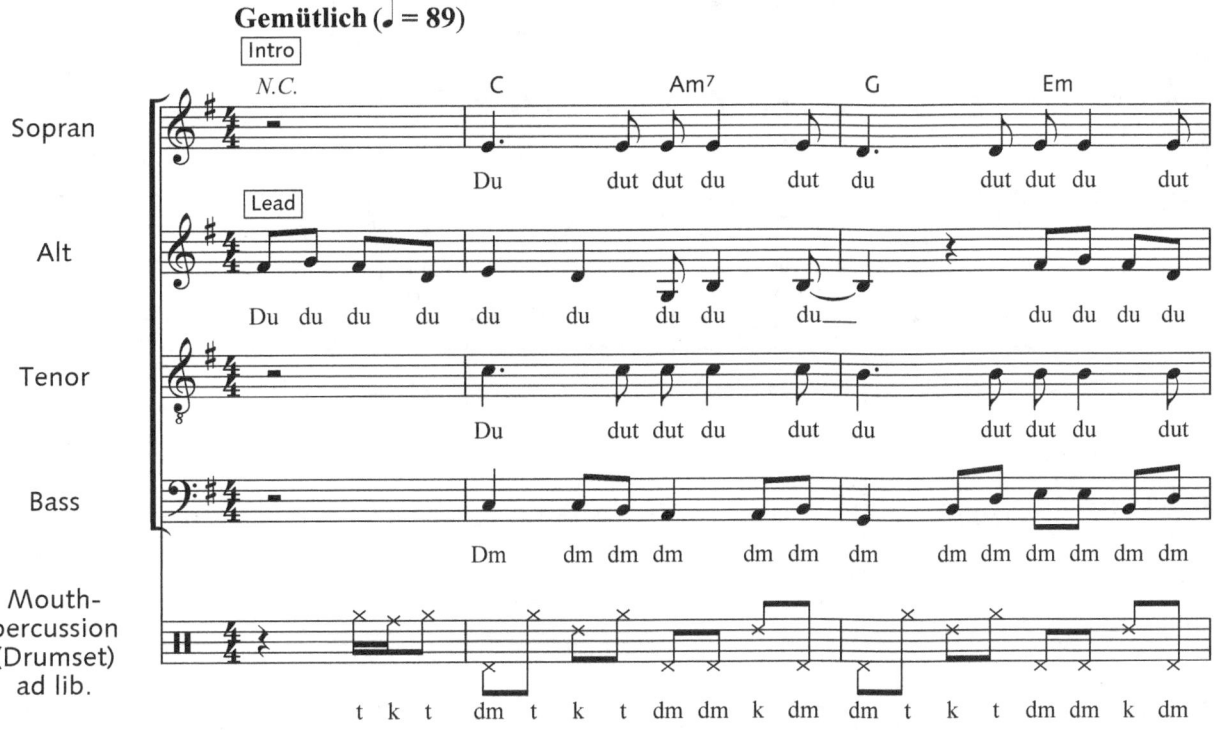

6

Es ist nicht immer leicht

Text und Musik: Daniel „Dän" Dickopf
Satz: Severin Geissler

18

Strophe 4

-raz - zi ma -chen sich an An -ge - li - na ran, und ganz be -stimmt

hat sie zu Haus al -lein die_ Ho -sen an. Der ar - me Brad muss pa -

-rie -ren, wäh -rend An -ge - li - na lenkt, muss dau -ernd Kin -der a -dop-

Buddy Biber

Text und Musik: „Eddi" Edzard Hüneke
Satz: Severin Geissler

10 F/A — D⁷/A — G⁷

Bö-se-wicht, und der mag uns-ren heiß-ge-lieb-ten Bi-ber nicht. Die-se

Bö-se Bö-se, der mag uns-ren Bi-ber nicht. Die-se

Bö-se Bö-se, der mag uns-ren Bi-ber nicht. Die-se

dm   dm dm   dm dm dm dm dm

13 C — D⁷ — F — N.C. — B C

Knol-len-na-se ist auf Bud-dys Bi-ber-fell spitz, das ist der fie-se Förs-ter Fritz. De dm. Hey!

Knol-len-na-se ist auf Bud-dys Bi-ber-fell spitz, det de de dm   De dm.

Knol-len-na-se ist auf Bud-dys Bi-ber-fell spitz, det de de dm   De dm.

dm   dm   dm   dm dm dm   De dm.

Refrain 1

17 C⁷ — F⁷

Bud-dy Bud-dy Bud-dy Bud-dy Bi - ber!_ Bud-dy Bud-dy Bud-dy Bud-dy Bi - ber!_

Bud-dy Bud-dy Bud-dy Bud-dy Bi - ber!_ Bud-dy Bud-dy Bud-dy Bud-dy Bi - ber!_

Bud-dy Bud-dy Bud-dy Bud-dy bi bap du wap   Bud-dy Bud-dy Bud-dy Bud-dy bi bap du wap

Bud-dy Bud-dy Bud-dy Bud-dy bi bap du wap   Bud-dy Bud-dy Bud-dy Bud-dy bi bap du wap

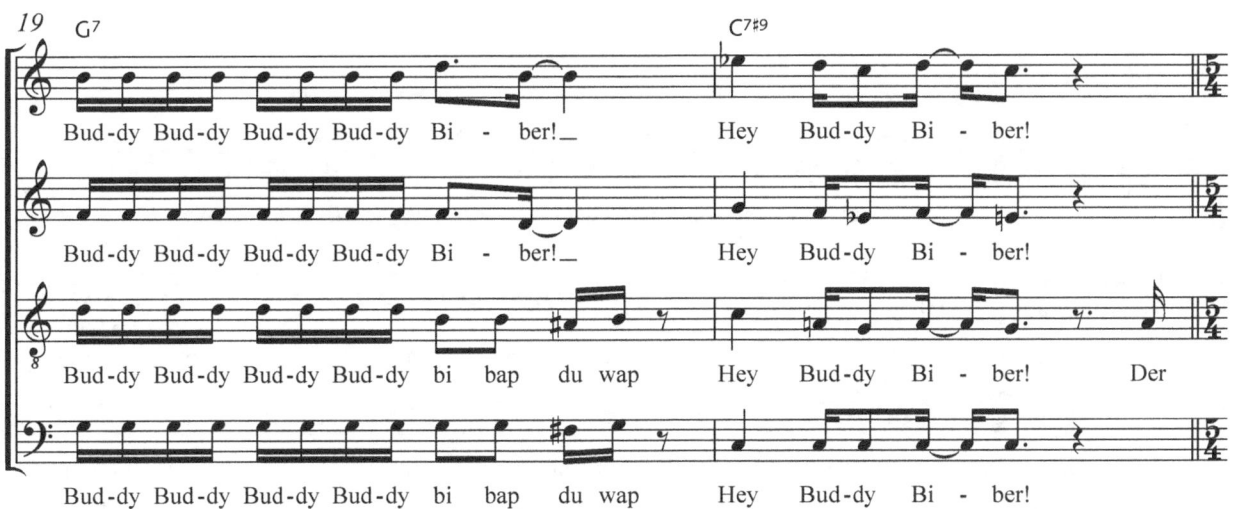

Handlung Teil 1

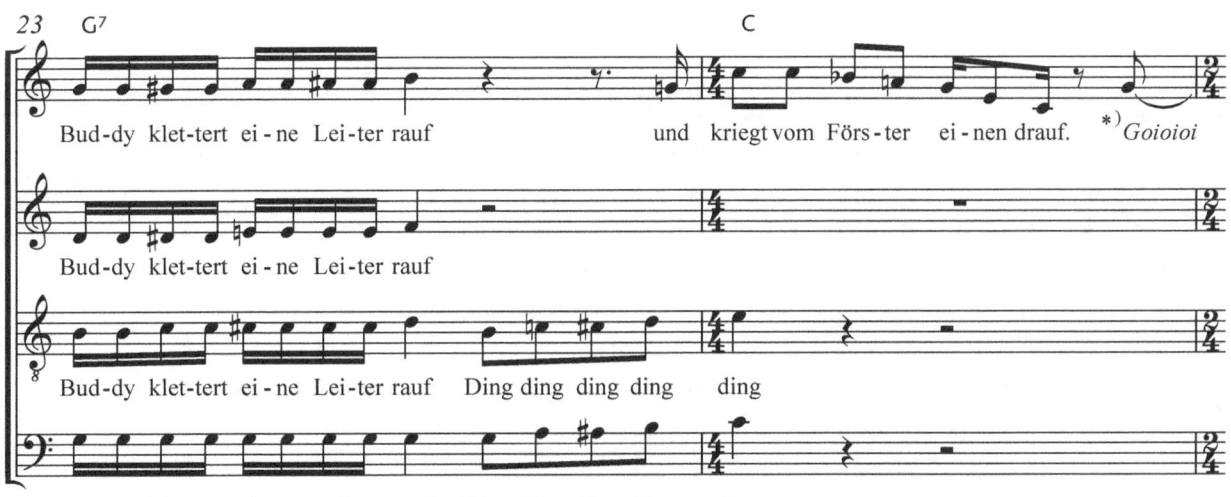

*) G=Schluckgeräusch

Langsamer (♩ = 94)

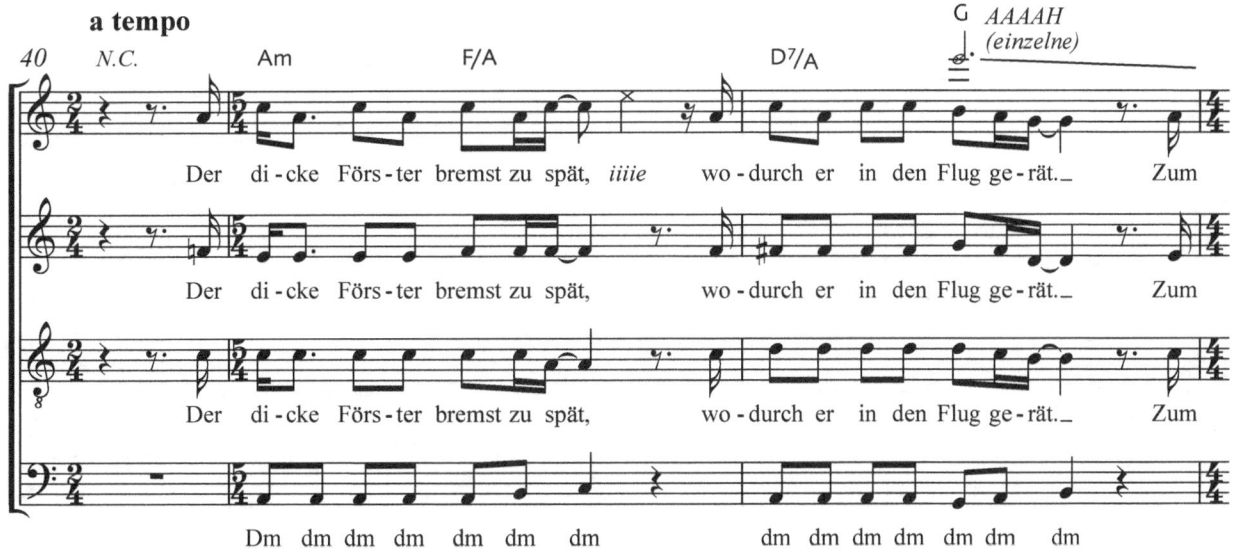

34

D

Kurz vorm Ab-grund dreht zum Glück Bud-dy Bi - ber um und läuft zu-rück *ffcht*__

G   **N.C.**

Hou__   hou

Hou__   hou

Hou__   hou

37

G   **D**

__ *tchff*_____ .kcür-uz tfuäl dnu mu reb - iB yd-duB kcülG muz therd dnurg -bA mrov zruK

uuoah__   uuoaH

uuoah__   uuoaH

uuoah__   uuoaH

a tempo

40 **N.C.**   **Am**   **F/A**   **D⁷/A**   **G** *AAAAH*
                                                                        (einzelne)

Der di - cke Förs-ter bremst zu spät, *iiiie* wo-durch er in den Flug ge-rät.__ Zum

Der di - cke Förs-ter bremst zu spät, wo-durch er in den Flug ge-rät.__ Zum

Der di - cke Förs-ter bremst zu spät, wo-durch er in den Flug ge-rät.__ Zum

Dm dm dm dm dm dm dm   dm dm dm dm dm dm dm

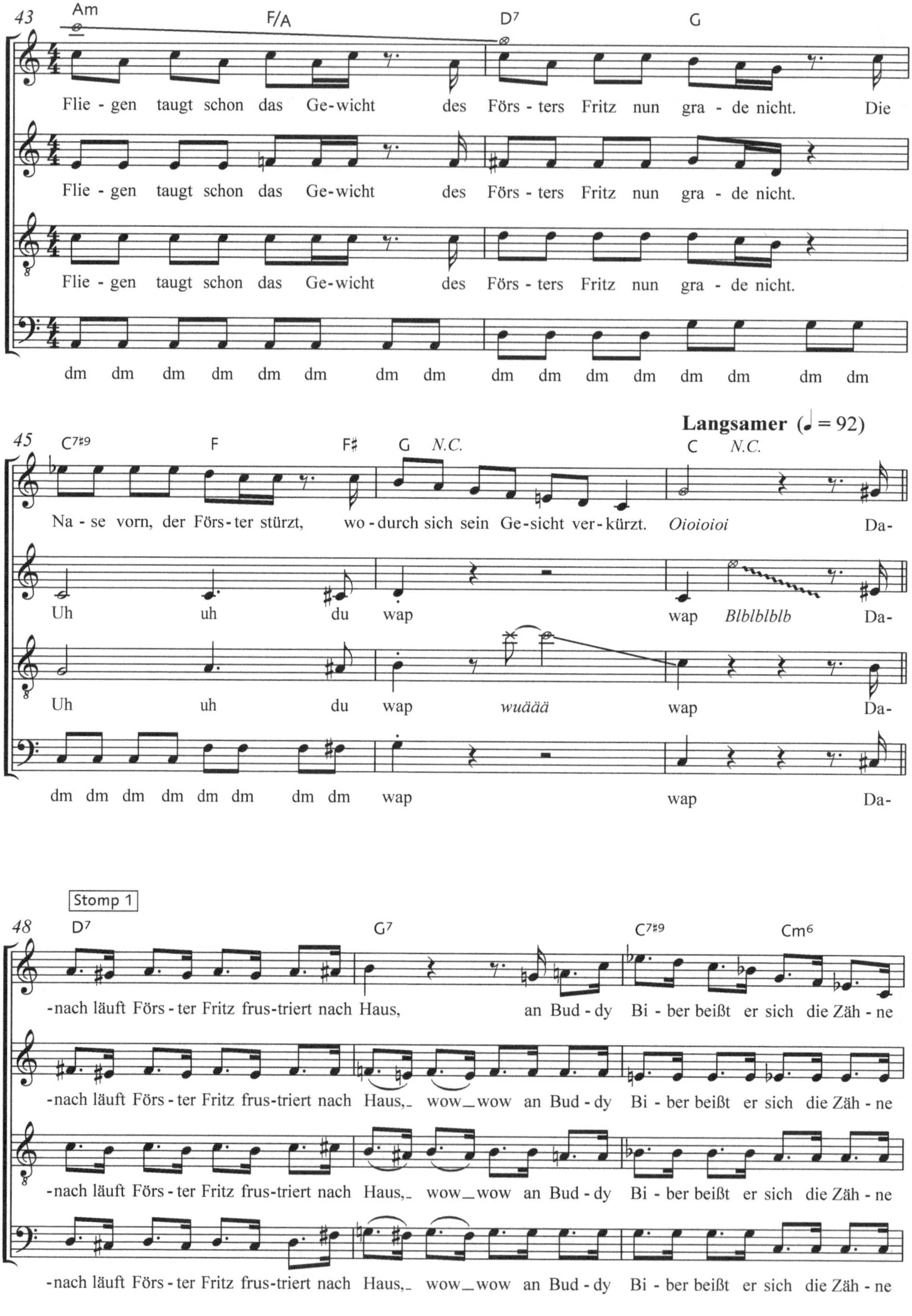
43
Am F/A D7 G
Flie - gen taugt schon das Ge-wicht des Förs - ters Fritz nun gra - de nicht. Die
Flie - gen taugt schon das Ge-wicht des Förs - ters Fritz nun gra - de nicht.
Flie - gen taugt schon das Ge-wicht des Förs - ters Fritz nun gra - de nicht.
dm dm dm dm dm dm dm dm dm dm dm dm dm dm dm dm
45
Langsamer (♩ = 92)
C7♯9 F F♯ G N.C. C N.C.
Na - se vorn, der Förs - ter stürzt, wo - durch sich sein Ge - sicht ver - kürzt. Oioioioi Da-
Uh uh du wap wap Blblblblb Da-
Uh uh du wap wuäää wap Da-
dm dm dm dm dm dm dm dm wap wap Da-
Stomp 1
48
D7 G7 C7♯9 Cm6
-nach läuft Förs - ter Fritz frus-triert nach Haus, an Bud - dy Bi - ber beißt er sich die Zäh - ne
-nach läuft Förs - ter Fritz frus-triert nach Haus,_ wow_wow an Bud - dy Bi - ber beißt er sich die Zäh - ne
-nach läuft Förs - ter Fritz frus-triert nach Haus,_ wow_wow an Bud - dy Bi - ber beißt er sich die Zäh - ne
-nach läuft Förs - ter Fritz frus-triert nach Haus,_ wow_wow an Bud - dy Bi - ber beißt er sich die Zäh - ne

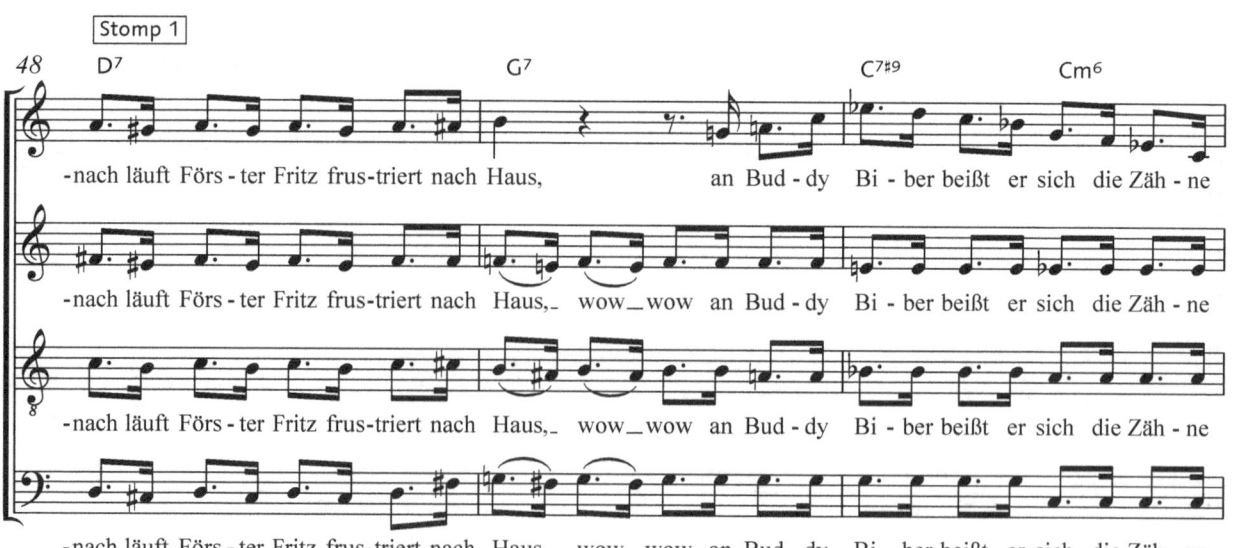

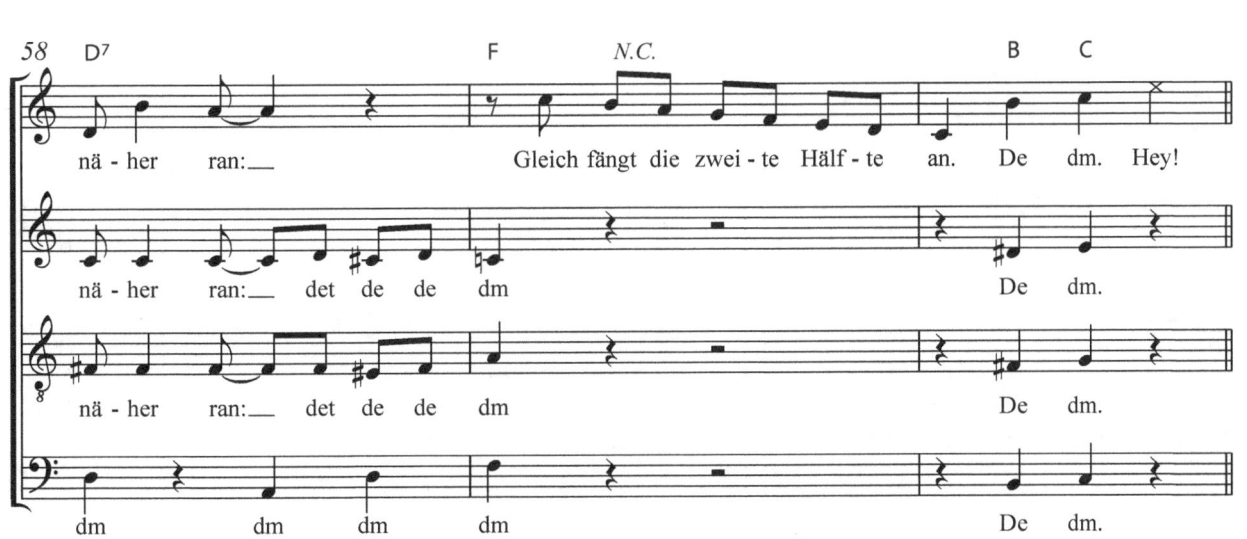

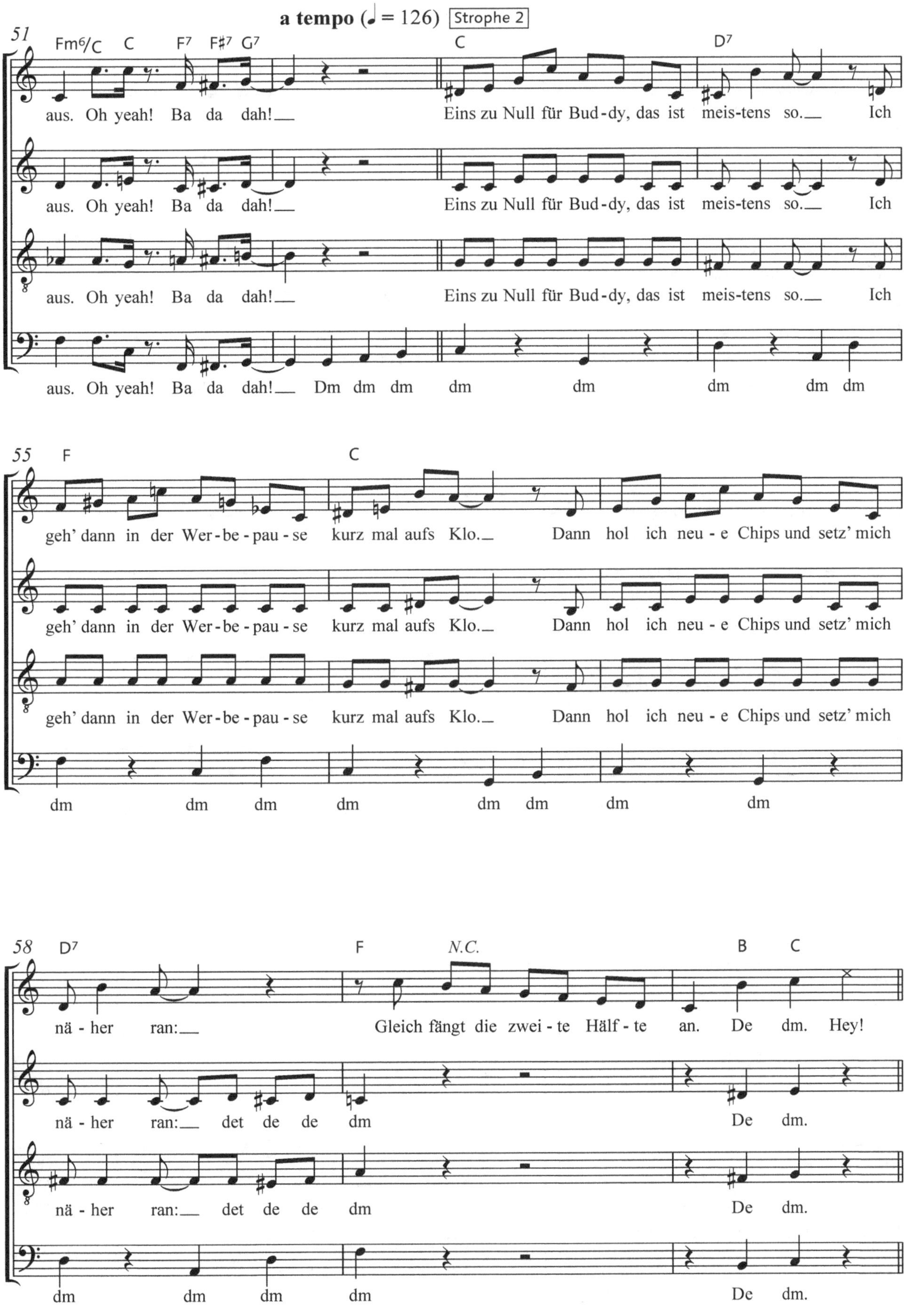
a tempo (♩ = 126)
Strophe 2
51
Fm6/C C F7 F♯7 G7 C D7
aus. Oh yeah! Ba da dah! Eins zu Null für Bud-dy, das ist meis-tens so. Ich
aus. Oh yeah! Ba da dah! Eins zu Null für Bud-dy, das ist meis-tens so. Ich
aus. Oh yeah! Ba da dah! Eins zu Null für Bud-dy, das ist meis-tens so. Ich
aus. Oh yeah! Ba da dah! Dm dm dm dm dm dm dm dm
55
F C
geh' dann in der Wer-be-pau-se kurz mal aufs Klo. Dann hol ich neu-e Chips und setz' mich
geh' dann in der Wer-be-pau-se kurz mal aufs Klo. Dann hol ich neu-e Chips und setz' mich
geh' dann in der Wer-be-pau-se kurz mal aufs Klo. Dann hol ich neu-e Chips und setz' mich
dm dm dm dm dm dm dm dm
58
D7 F N.C. B C
nä-her ran: Gleich fängt die zwei-te Hälf-te an. De dm. Hey!
nä-her ran: det de de dm De dm.
nä-her ran: det de de dm De dm.
dm dm dm dm De dm.

Refrain 2

61

C7

Bud-dy Bud-dy Bud-dy Bud-dy Bi - ber!_   Bud-dy Bud-dy Bud-dy Bud-dy Bi - ber!_

Bud-dy Bud-dy Bud-dy Bud-dy Bi - ber!_   Bud-dy Bud-dy Bud-dy Bud-dy Bi - ber!_

Bud-dy Bud-dy Bud-dy Bud-dy bi bap du wap   Bud-dy Bud-dy Bud-dy Bud-dy bi bap du wap

Bud-dy Bud-dy Bud-dy Bud-dy bi bap du wap   Bud-dy Bud-dy Bud-dy Bud-dy bi bap du wap

63

G7   **C7#9**

Bud-dy Bud-dy Bud-dy Bud-dy Bi - ber!_   Hey Bud-dy Bi - ber!

Bud-dy Bud-dy Bud-dy Bud-dy Bi - ber!_   Hey Bud-dy Bi - ber!

Bud-dy Bud-dy Bud-dy Bud-dy bi bap du wap   Hey Bud-dy Bi - ber!

Bud-dy Bud-dy Bud-dy Bud-dy bi bap du wap   Hey Bud-dy Bi - ber!

Handlung Teil 2

65

C   **F7**

Uh   uh   uh   *srrrrr*   Der

Uh   uh   Der

Bud-dy zeigt, was ein Bi-ber kann   und nagt des Förs-ters Hoch-sitz an.   Der

Dm dm dm dm dm dm dm dm   dm dm dm dm dm dm *hu hi hu hi hu hi*   Der

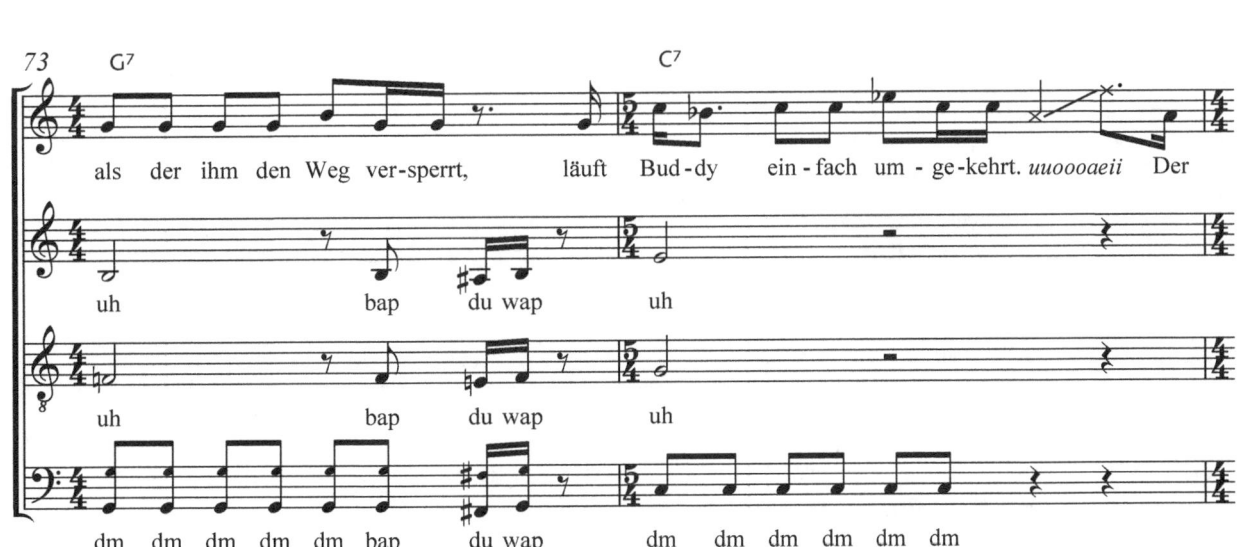

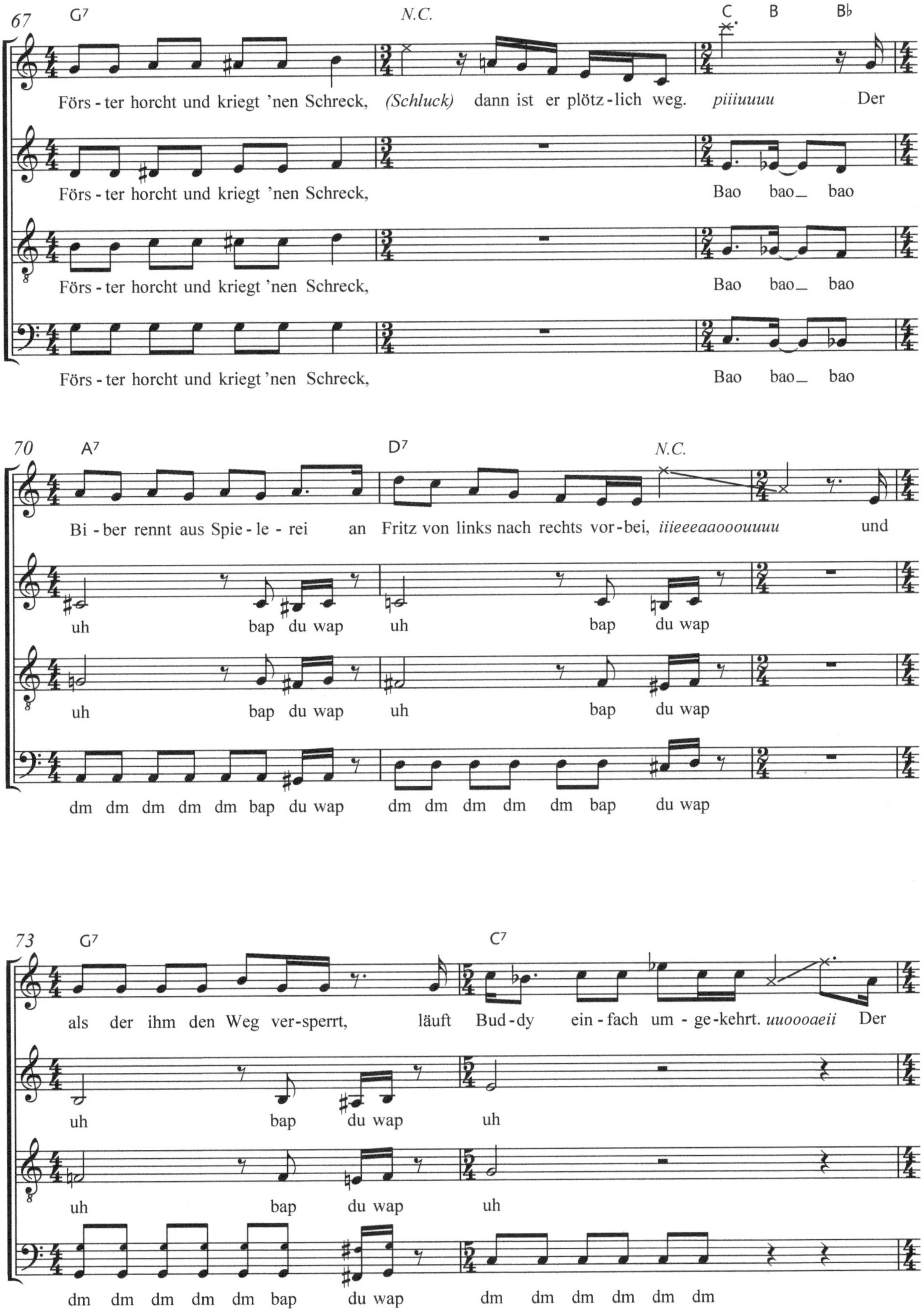
67
G7
N.C.
C B B♭
Förs - ter horcht und kriegt 'nen Schreck, (Schluck) dann ist er plötz - lich weg. piiiuuuu Der
Förs - ter horcht und kriegt 'nen Schreck, Bao bao bao
Förs - ter horcht und kriegt 'nen Schreck, Bao bao bao
Förs - ter horcht und kriegt 'nen Schreck, Bao bao bao
70
A7
D7
N.C.
Bi - ber rennt aus Spie - le - rei an Fritz von links nach rechts vor - bei, iiieeeaaooouuuu und
uh bap du wap uh bap du wap
uh bap du wap uh bap du wap
dm dm dm dm dm bap du wap dm dm dm dm dm bap du wap
73
G7
C7
als der ihm den Weg ver - sperrt, läuft Bud - dy ein - fach um - ge - kehrt. uuoooaeii Der
uh bap du wap uh
uh bap du wap uh
dm dm dm dm dm bap du wap dm dm dm dm dm dm

82
Am F/A
oig oig oig oig oig oig oig oig oig Um den nun wie-der her-zu-stel-len, muss
Dm
Um den nun wie-der her-zu-stel-len, muss
k k k k k k k k k k k k Um den nun wie-der her-zu-stel-len, muss
Pchchch
Um den nun wie-der her-zu-stel-len, muss
85 D7/A G N.C.
Bud-dy fünf, sechs Bäu-me fäl-len. Hu Der
Bud-dy fünf, sechs Bäu-me fäl-len. (Pfiff)
Bud-dy fünf, sechs Bäu-me fäl-len. ch h ch h
Bud-dy fünf, sechs Bäu-me fäl-len. hi hu hi hu
Langsamer (♩ ca. 92)
88 Cm F F♯ G N.C. C
letz-te Baum fällt – Potz-blitz, ganz ge-nau auf Förs-ter Fritz. guuaaääaaoouu Da-
uh uh du wap Uuuh wap Da-
uh uh du wap iuuh wap Da-
dm dm dm dm dm dm dm dm wap wap Da-

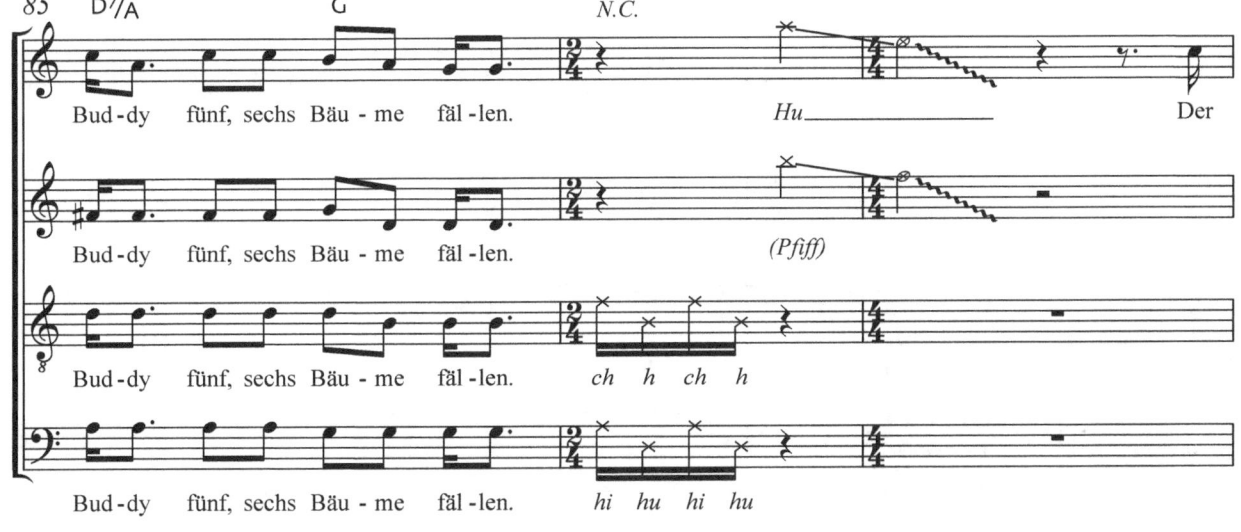

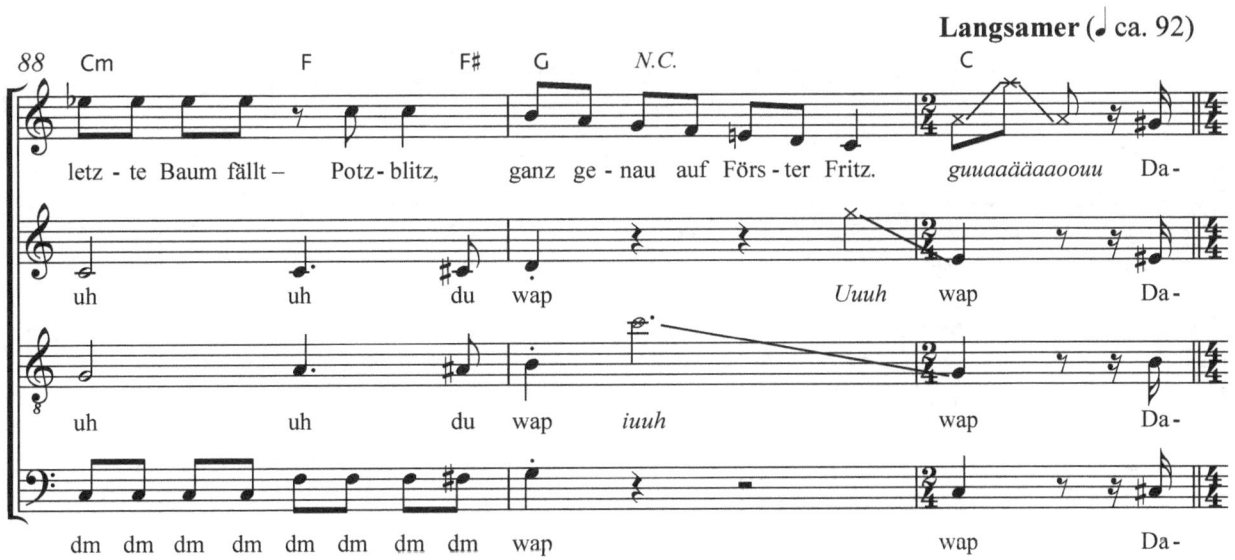

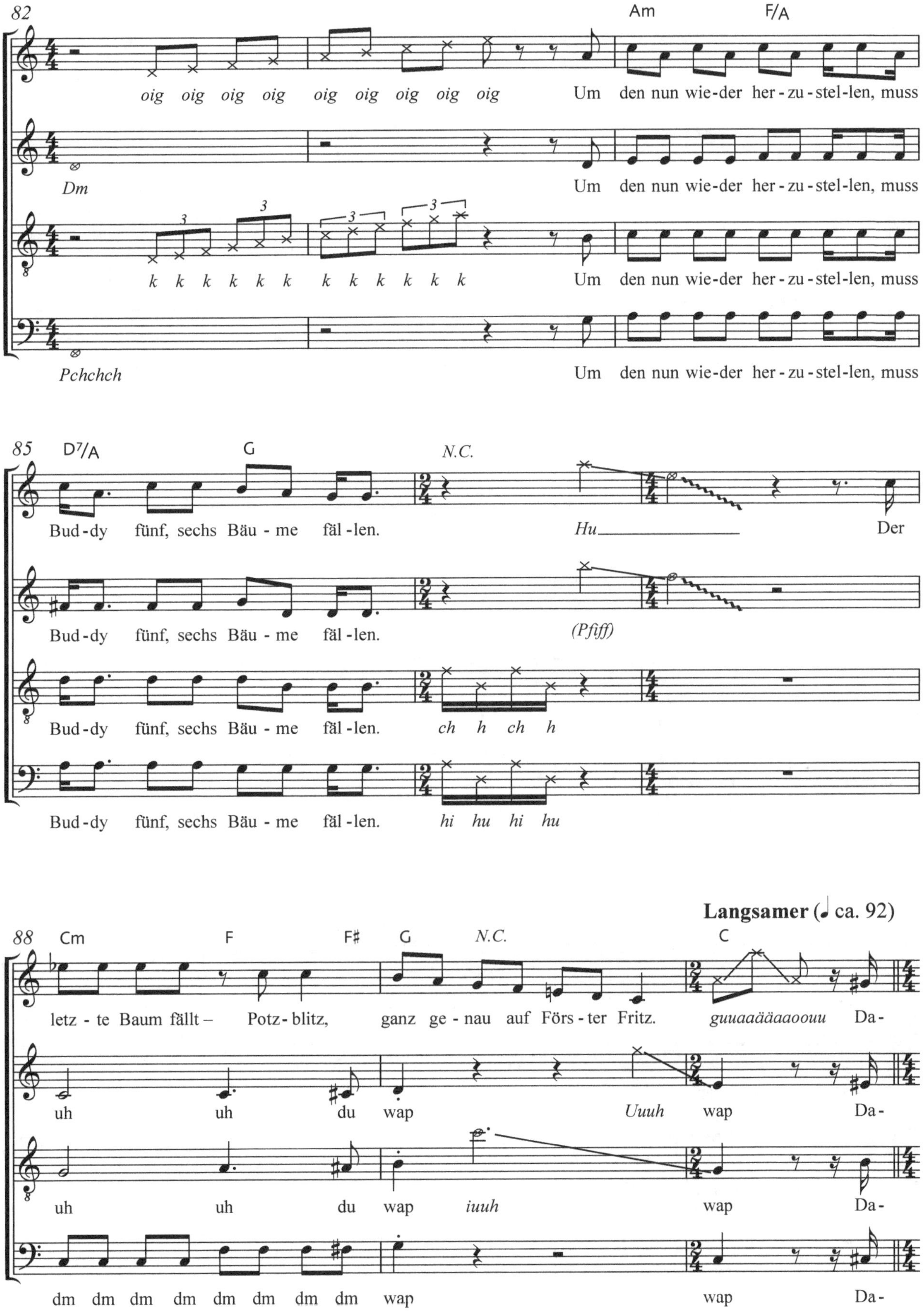

Schluss - Stomp

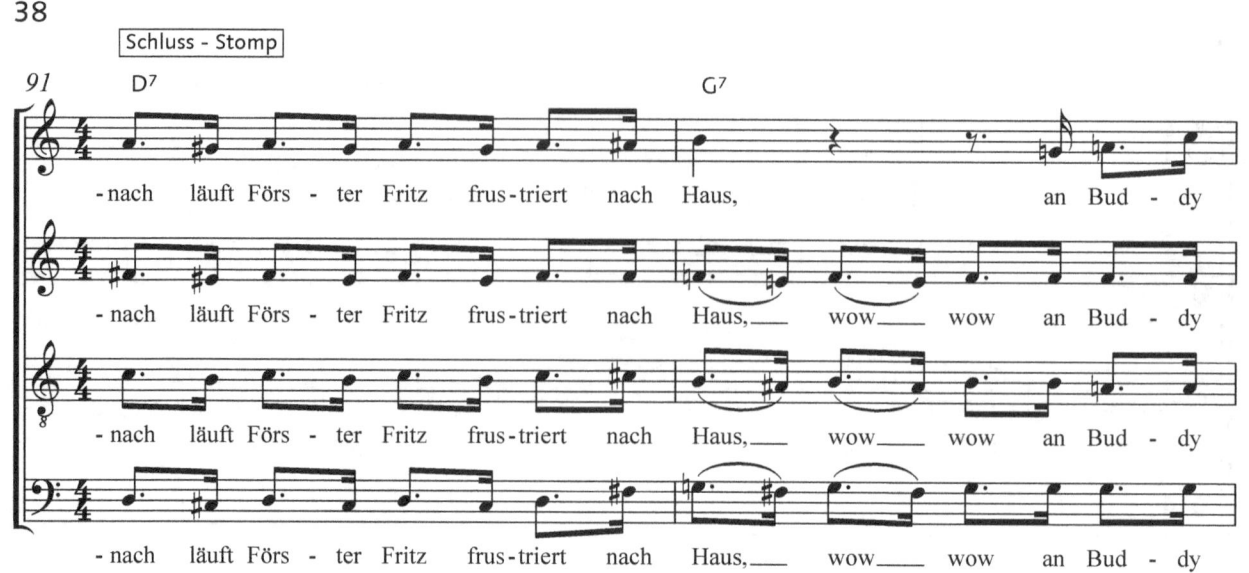

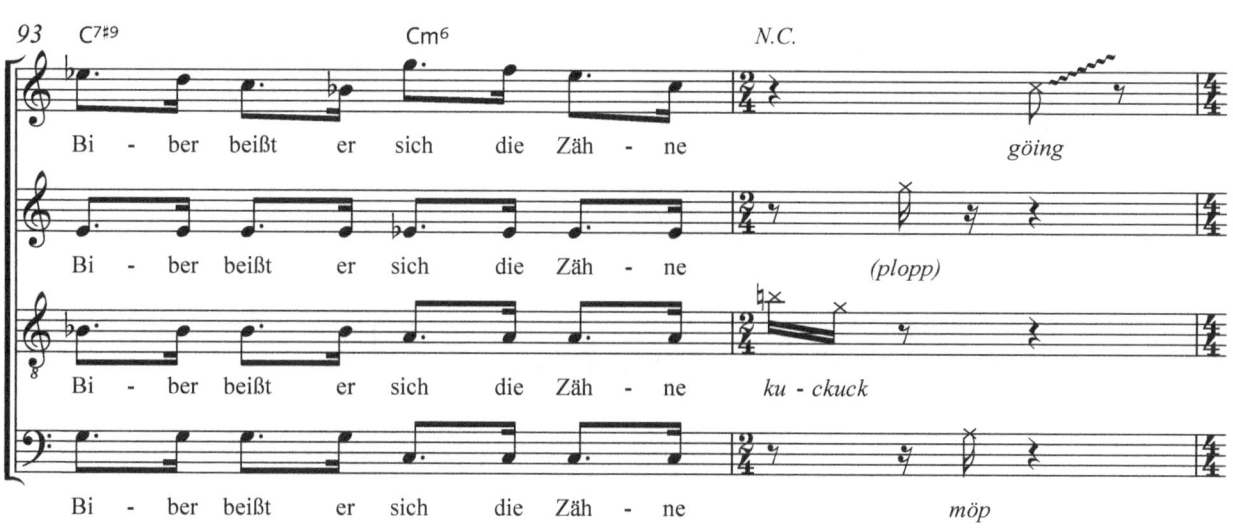

Jetzt und hier

Text und Musik: Daniel „Dän" Dickopf
Satz: Severin Geissler

12

Am — D — Am — D — Am — D

— dut   dut   du___ dut   dut   du___ dut   dut   du___

— dut   dut   du___ dut   dut   du___ dut   dut   du___

— Es ist höchs-te Zeit___ für'n be-son-de-ren Trop - fen. Es ist höch-ste Zeit,___

dm   du dl du dl dm   dm   dm   dm   du dl du dl

Strophe 2

15

Am — D — Am — D — Am — D

— dut   dut   du___ dut   dut

(flange) eeeiiieeeaaaooouuu_____

— dut   dut   du___ dut   dut   du___ dut   dut   du___

— uns auf die Schul-ter zu klop - fen. Wir ha-ben's ge-schafft___ mit ge-mein-sa-mer Kraft,___

dm   dm   dm   dm   du dl du dl dm   dm   dm   dm

18

Am — D — Am — D — Am

_____

du___

— dut   dut   du___ dut   dut   du___ dut   dut   du___

— sind zu-sam-men im Ziel.___ Das war mehr als ein Spiel.___ Es gibt ei-ne Zeit,___

dm   dm   dm   dm   dm   dm   du dl du dl dm   dm   dm   dm

21 F / E / F

— dut dut du— dut dut du— dut dut du—

— dut dut du— dut dut du— dut dut du—

— um sich Sor-gen zu ma-chen, a-ber jetzt ist die Zeit,— um zu tan-zen und zu

dm dm— dm dm dm— dm dm dm— dm

24 D / Refrain 1 / F / C/G / E/G♯

— Das Wich-tigs-te sind wir und das Jetzt und Hier und dass wir al-le hier zu-

— Das Wich-tigs-te sind wir und das Jetzt und Hier ba ba ba

la-chen. Das Wich-tigs-te sind wir und das Jetzt und Hier ba ba ba

dm dm dm dm dm dm dm dm dm dm dm dm

27 Am / D / Am / F

-sam-men sind! Ganz e-gal, ob das so bleibt o-der aus-ei-nan-der

ba ba Bah— Ganz e-gal, ob das so bleibt o-der aus-ei-nan-der

ba ba Bah— Ganz e-gal, ob das so bleibt o-der aus-ei-nan-der

dm du— dl du dl dm dm— dm dm dm dm dm

30 C/G   E/G♯   Am   D   Am   D

treibt: Es zählt jetzt nur, dass wir zu - sam -men sind!

treibt: ba ba ba ba ba bah___ ba

treibt: ba ba ba ba ba bah___ Die Zeit war ge - nial.___

dm dm dm dm dm du___ dl du dl dm du___ dl du dl

Strophe 3

33 Am   D   Am   D   Am   D

Dao uip de det dao___ uip de det uip de det dao

Dao uip de det dao___ uip de det dao___ uip de det dao___

___ Ziem - lich sen - ti - men - tal___ schau'n wir da -rauf zu - rück:___ Das war wohl so -was wie Glück.___

dm

36 Am   D   Am   D   Am   D

___ uip de det uip de det dao___ uip de det

___ uip de det dao___ uip de det dao___ uip de det dao___

___ Und völ - lig e - gal,___ was pas -siert und was ist:___ Es war ei - ne Zeit,

Dm du___ dl du dl dm du___ dl du dl

44

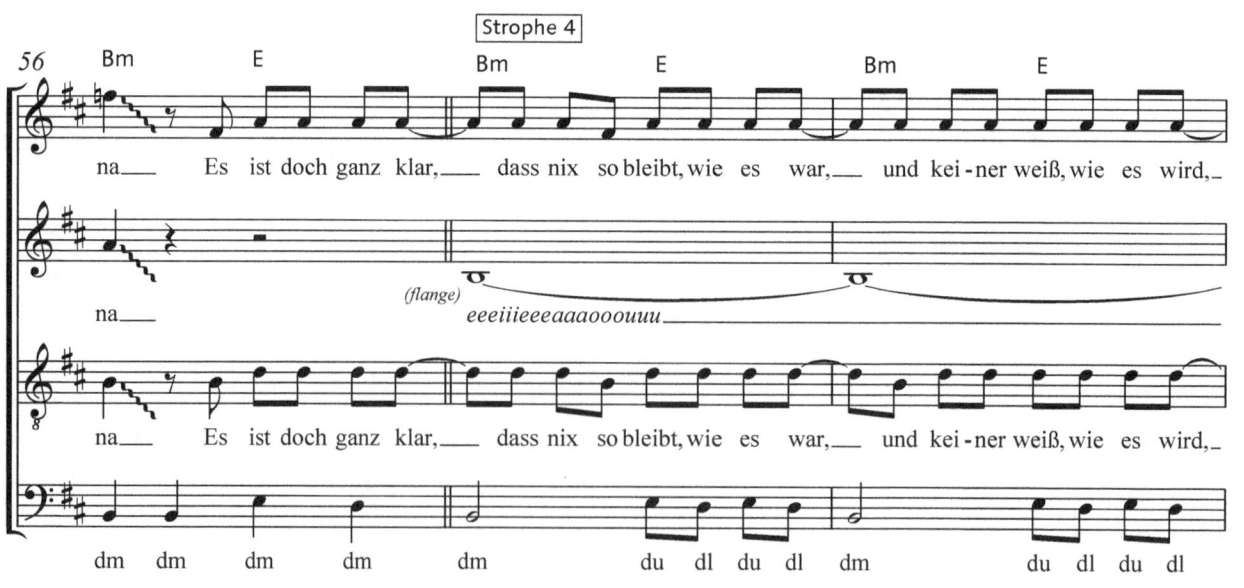

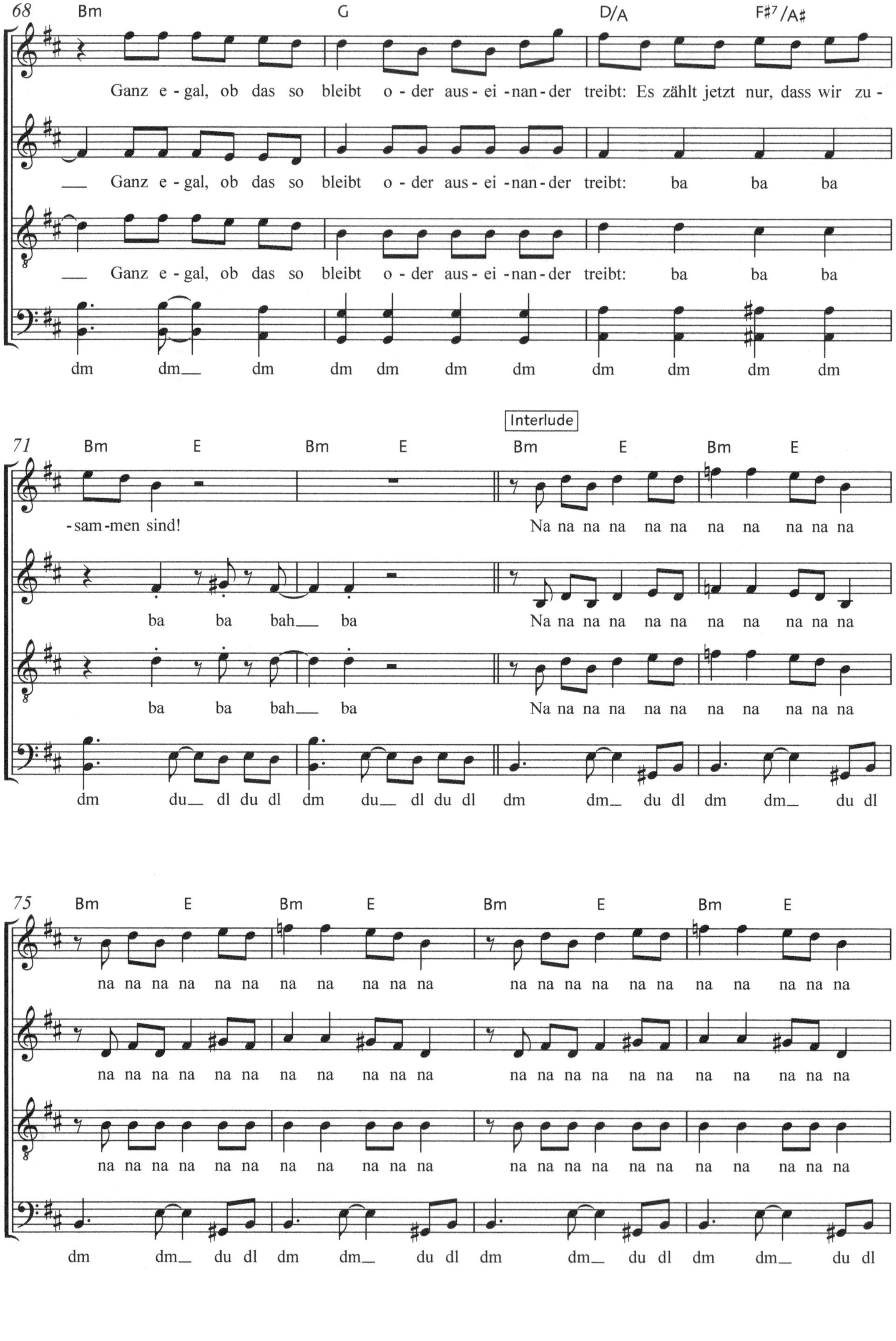

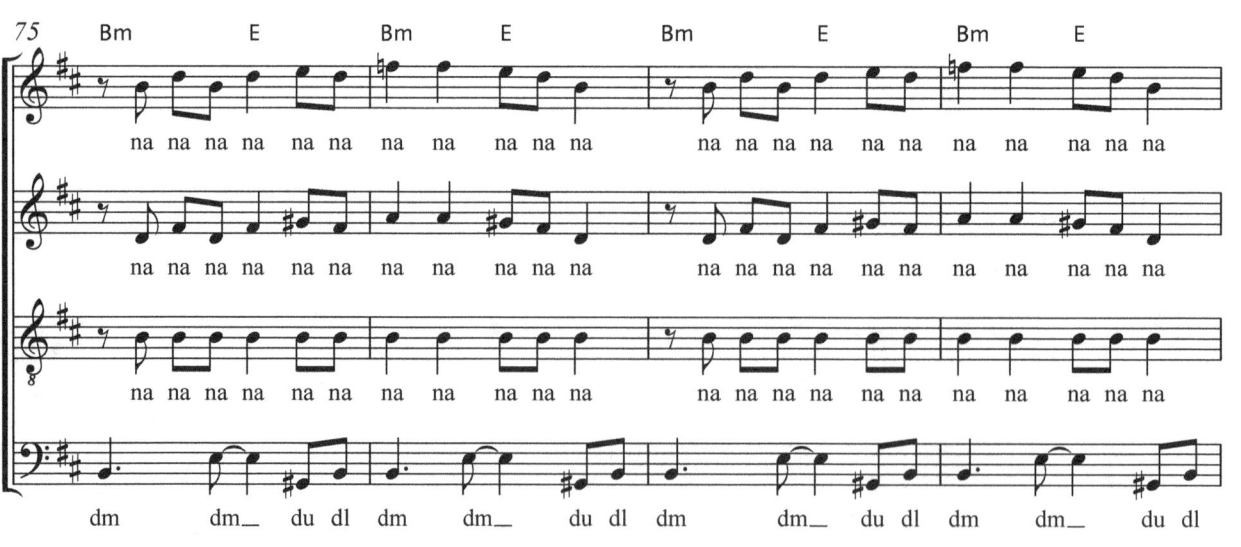

68
Bm G D/A F♯7/A♯
Ganz e - gal, ob das so bleibt o - der aus - ei - nan - der treibt: Es zählt jetzt nur, dass wir zu -
Ganz e - gal, ob das so bleibt o - der aus - ei - nan - der treibt: ba ba ba
Ganz e - gal, ob das so bleibt o - der aus - ei - nan - der treibt: ba ba ba
dm dm dm dm dm dm dm dm dm dm dm
Interlude
71
Bm E Bm E Bm E Bm E
- sam - men sind! Na na na na na na na na na na na
ba ba bah ba Na na na na na na na na na na na
ba ba bah ba Na na na na na na na na na na na
dm du dl du dl dm du dl du dl dm dm du dl dm dm du dl
75
Bm E Bm E Bm E Bm E
na na na na na na na na na na na na na na na na na na na na na na
na na na na na na na na na na na na na na na na na na na na na na
na na na na na na na na na na na na na na na na na na na na na na
dm dm du dl dm dm du dl dm dm du dl dm dm du dl

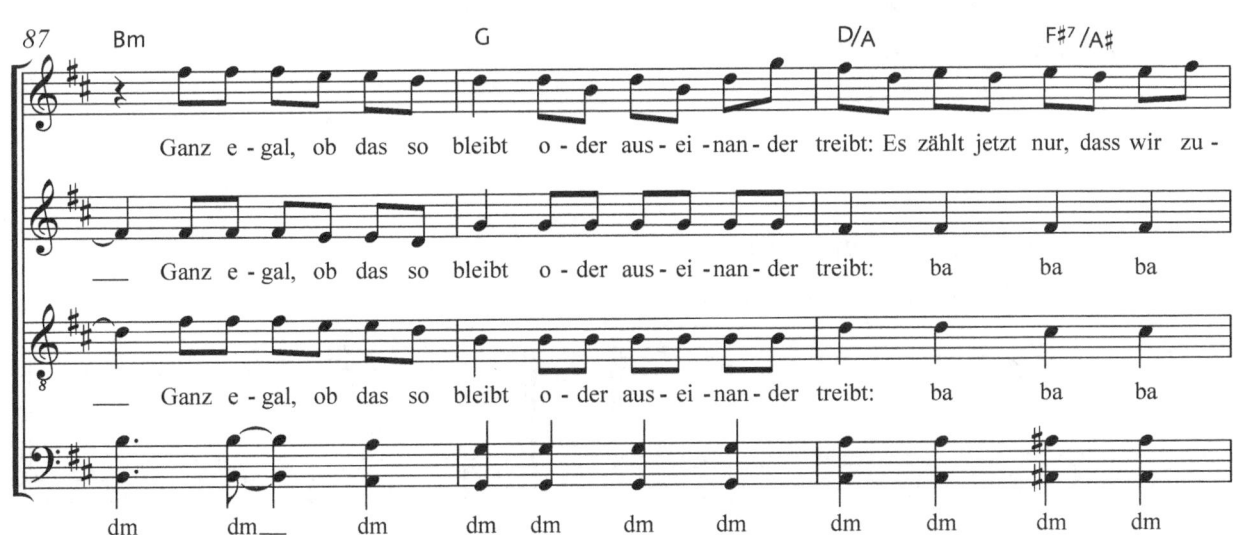

48

Mögliche Begleitpatterns

Radio

Text und Musik: Daniel „Dän" Dickopf
Satz: Severin Geissler

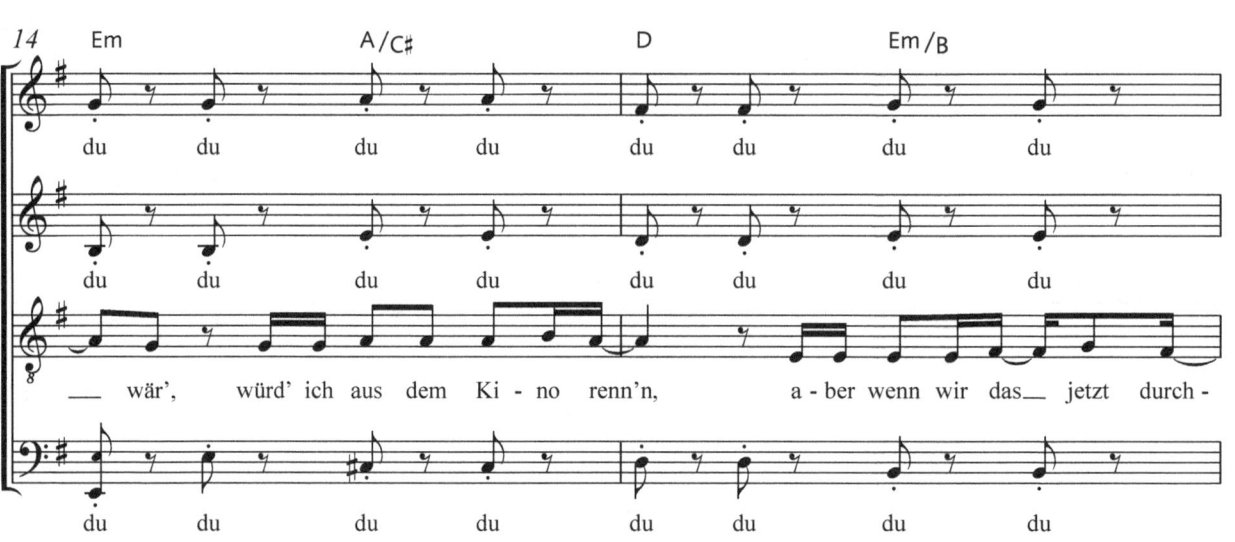

24

C   G   Am⁷   Bsus4   B

du   du   du   du   du   du   du___ Mach das Ra-di-o___ ah___

du   du   du   du   du   du   du   du Mach das Ra-di-o___ an___

fällt bald aus-ei-nan-der,   a-ber Haupt-sa-che, es geht:___

dm   tsm   dm   dm   tsm   dm   tsm   du___

28 𝄋 Refrain

Em   Bm

___ und dreh rich-tig laut auf,___ wir fah-ren duch den Som-mer-re-

Dao dao dao dao dao dao dao dao   dao dao dao dao dao dao dao dao

clap   *clap*   *clap*   *clap*

Dm dm   dm dm dm   dm   dm dm   dm dm dm   dm

30

D   Am

ah___

-gen   der Son-ne ent-ge-gen.   Mach das Ra-di-o___ an,___

dao dao dao dao dao   dao   dao dao   dao dao dao dao dao dao   dao dao

clap (etc.)

dm dm   dm dm dm   dm   dm dm   dm dm dm   dm

Strophe 2

39

Cmaj7 · Bsus4 · B · Em · D · Cmaj7 · Bsus4 · B

du du du du | Wer hät-te das_ von uns ge-dacht? | Oh-ne Dach und oh-ne Kar-

_ dm dm dm_ | Dm dm dm dm_ dm dm dm_ dm dm dm_

du du du du Du du du du du du du du

du du du du Du du du du du du du du

42

Em · D · Cmaj7 · D

- te geht's mit Voll-gas durch die Nacht._ | Es gibt nichts, was ich er-war-

dm dm dm dm_ dm dm dm_ dm dm dm_

du du du du du du du du

du du du du du du du du

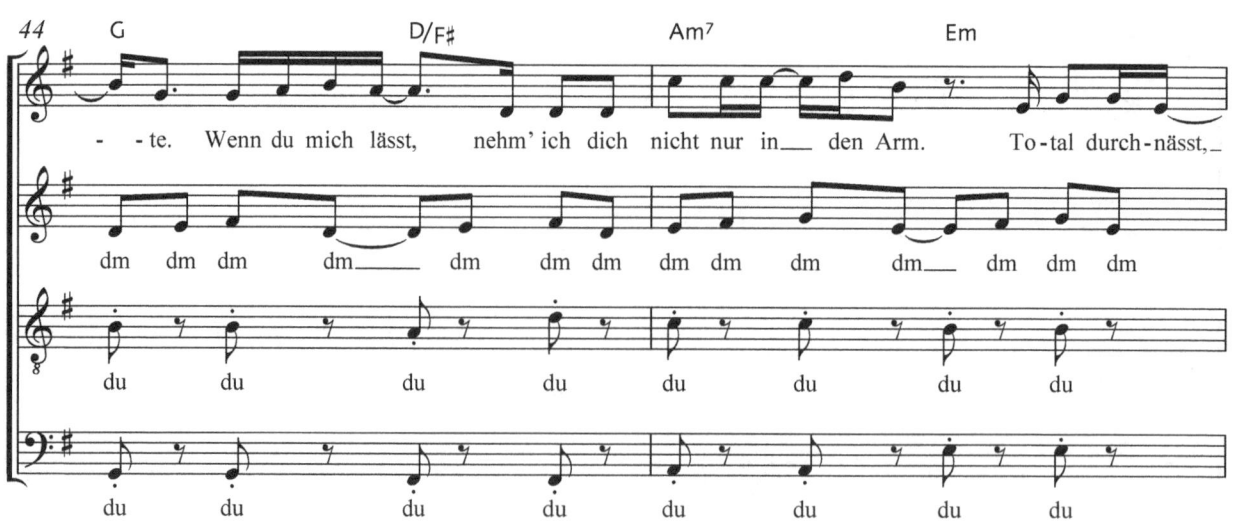

44

G · D/F# · Am7 · Em

- te. Wenn du mich lässt, nehm' ich dich nicht nur in_ den Arm. | To-tal durch-nässt,_

dm dm dm dm_ dm dm dm dm dm dm dm_ dm dm dm

du du du du du du du du

du du du du du du du du

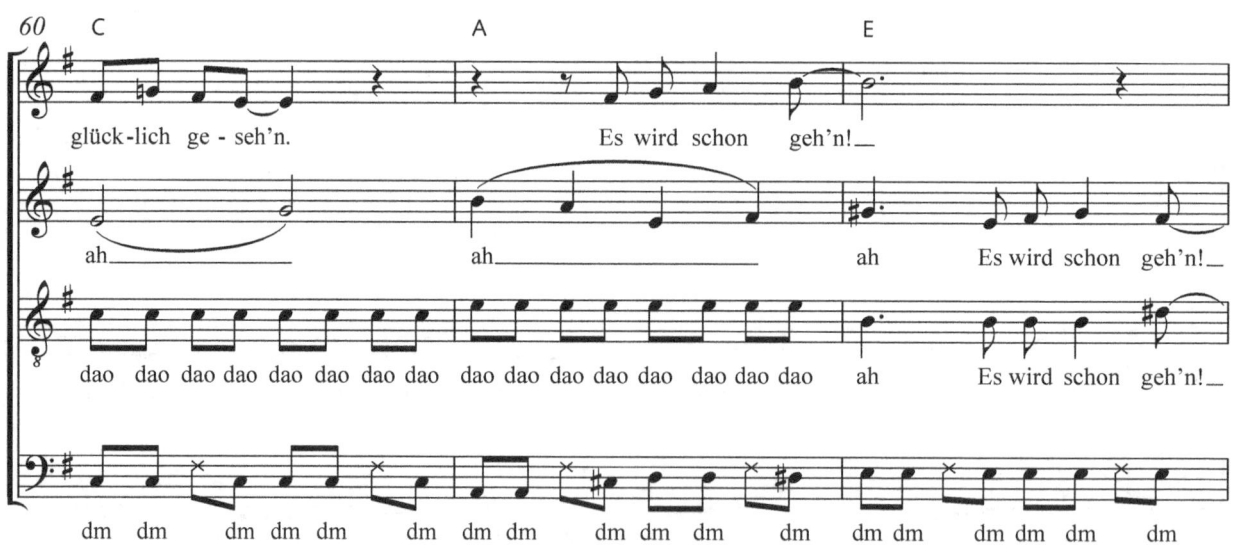

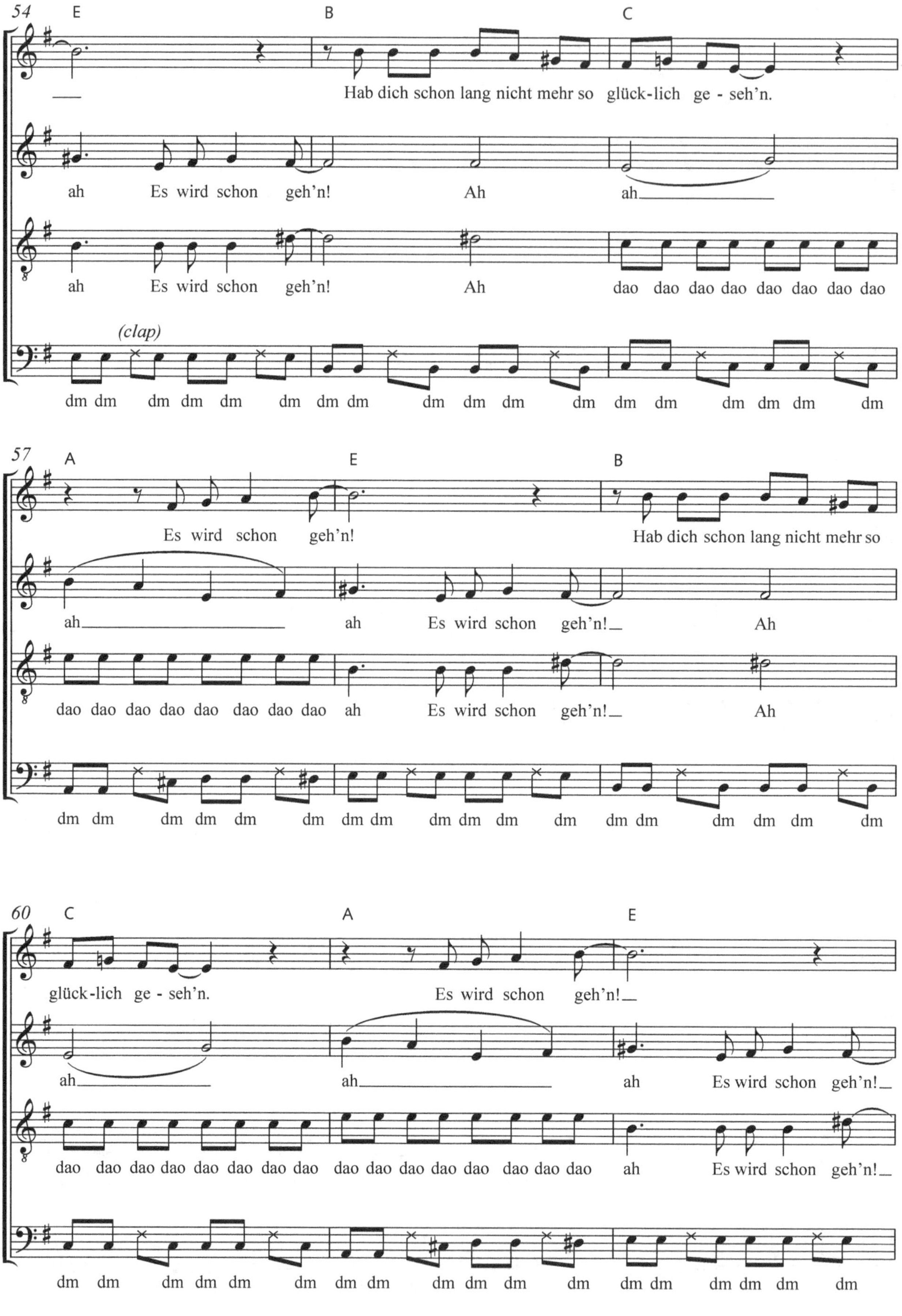
54
E
B
C
Hab dich schon lang nicht mehr so glück-lich ge - seh'n.
ah Es wird schon geh'n! Ah ah
ah Es wird schon geh'n! Ah dao dao dao dao dao dao dao dao
(clap)
dm dm dm dm dm dm dm dm dm dm dm dm dm dm dm dm dm dm
57
A
E
B
Es wird schon geh'n!
Hab dich schon lang nicht mehr so
ah ah Es wird schon geh'n! Ah
dao dao dao dao dao dao dao dao ah Es wird schon geh'n! Ah
dm dm dm dm dm dm dm dm dm dm dm dm dm dm dm dm dm dm
60
C
A
E
glück-lich ge - seh'n. Es wird schon geh'n!
ah ah ah Es wird schon geh'n!
dao dao dao dao dao dao dao dao dao dao dao dao dao dao dao dao ah Es wird schon geh'n!
dm dm dm dm dm dm dm dm dm dm dm dm dm dm dm dm dm dm

Ständchen

Text und Musik: Daniel „Dän" Dickopf
Satz: Wolfgang Thierfeldt

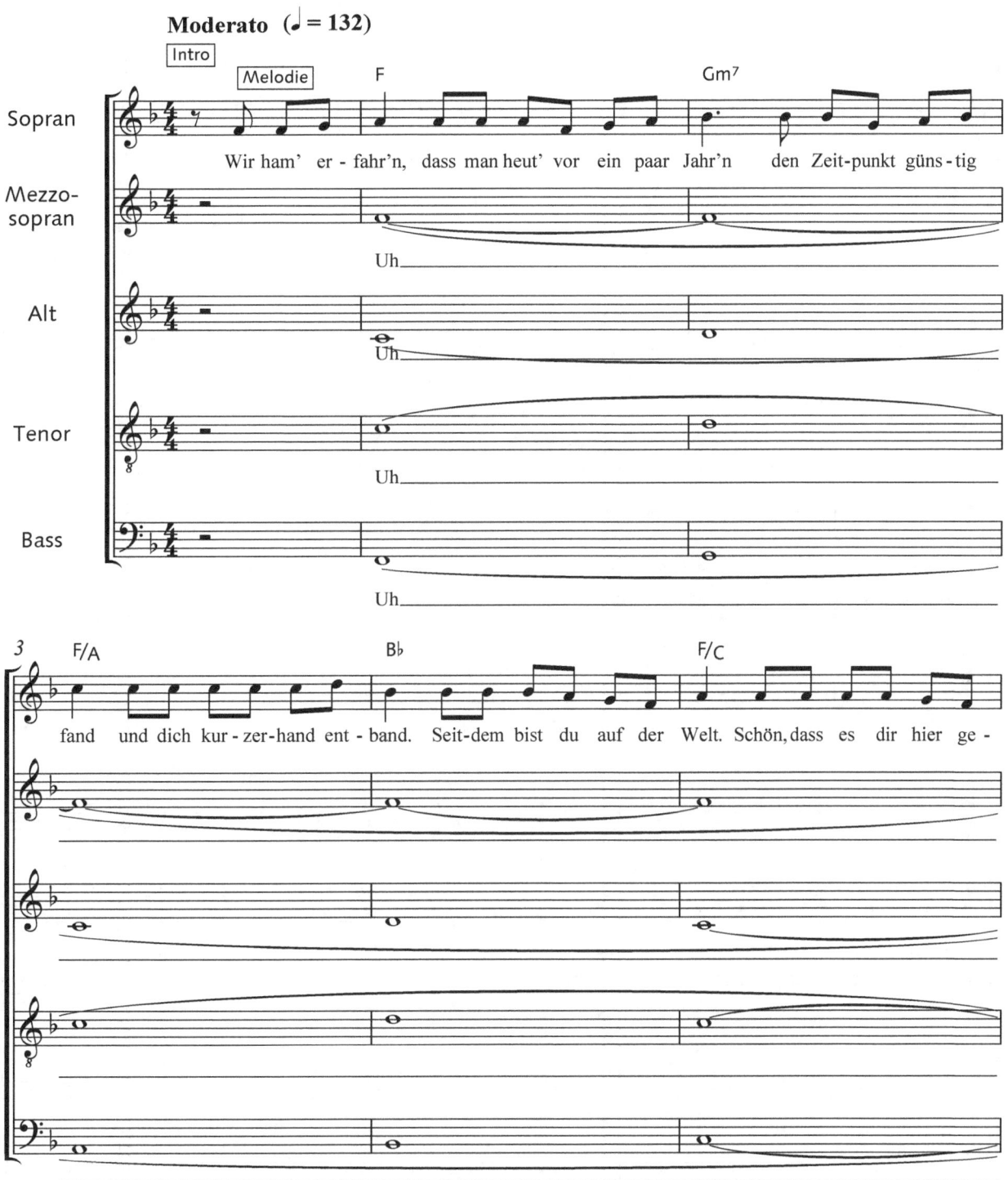

Tiefgang

Text und Musik: Daniel „Dän" Dickopf
Satz: Severin Geissler

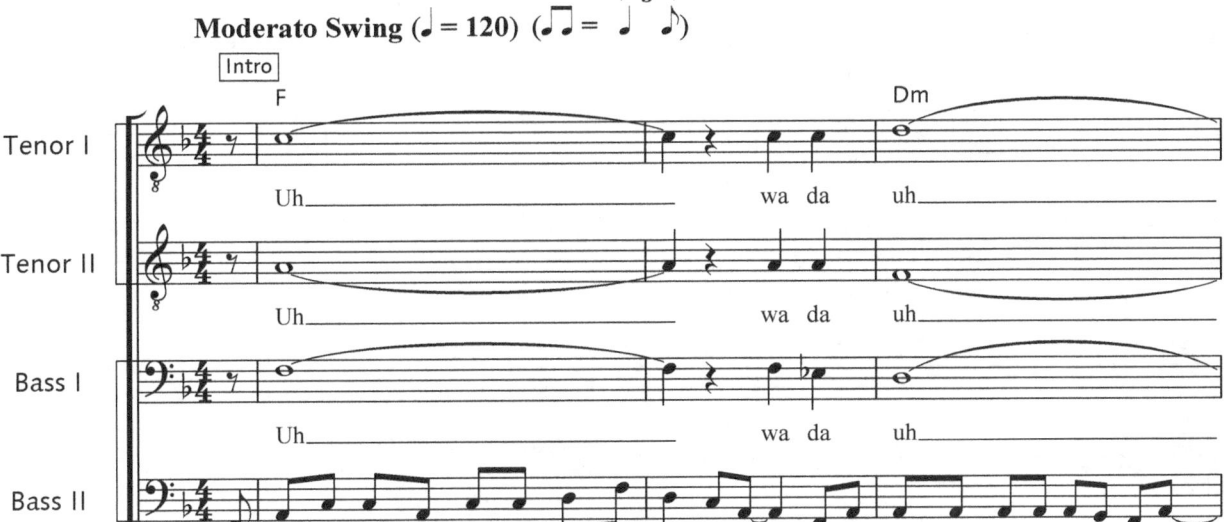

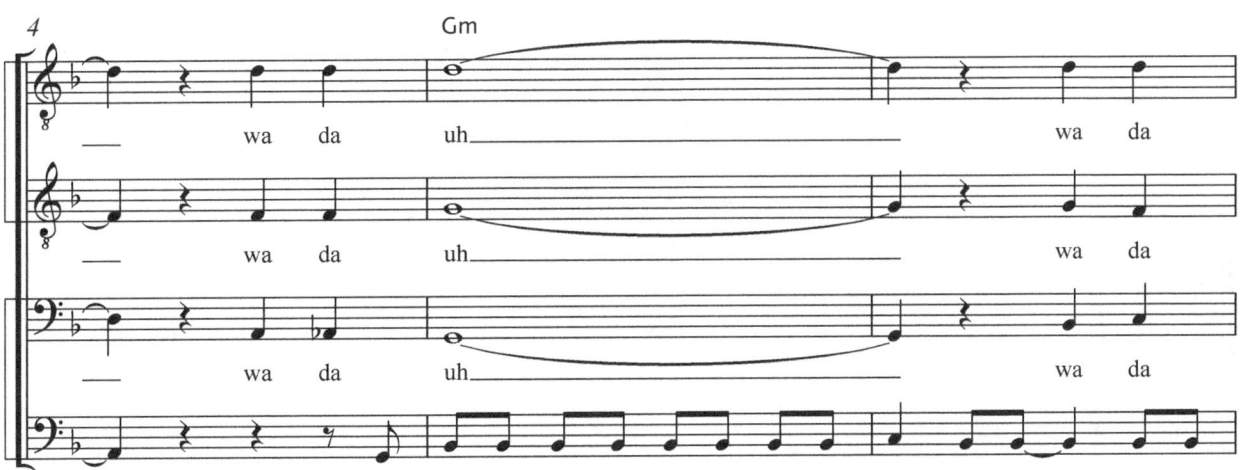

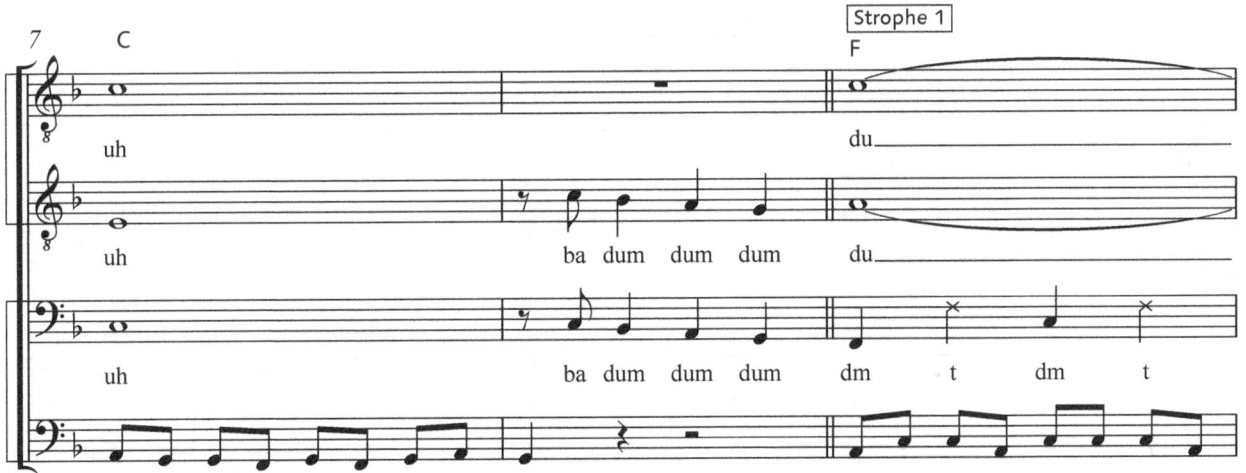

10 du du du ____ du du du

du du du ____ du du du

dm t be dm dm dm t dm t dm dm dm dm

Mus-keln und auf Au - tos und ha - ben es noch im - mer nicht ge - rafft: Die

13 du ____ du du du

du ____ du du du

dm t dm t be dm t dm dm dm t be dm dm

Frau'n von heu - te la - chen sich ka - putt, denn ih - nen graut bloß vor Män - nern oh - ne Hirn mit zu viel

Strophe 2

16 du du du du

du ba dum dum dum du ____ du du

ba dum dum dum dm t dm t dm 3 t be dm dm

Kraft. Doch auch sen - si - ble Sof - ties sind schon lan - ge nicht mehr in, das

19 du ____ du du du du ____

du ____ du du du du ____

dm t dm t dm dm dm dm dm t dm t be

zieht nur noch bei ei - ner doo - fen Gans. Auch nach 'nem „La - tin Lo - ver" steht fast

68

Lei - dens - mie - ne, als pei - nig - te ihn man - che Höl - len - qual.___ Die

Strophe 4

Bäs - se eins wir - ken im - mer wie Hek - ti - ker auf Rei - sen, den'n ir - gend - wer die Bald - ri - an - pil - len

stahl,   und al - le las - sen per - ma - nent die Hüf - ten krei - sen. Das

Interlude 2

al - les ist doch echt nicht mehr nor - mal.   Wir hal - ten uns zu - rück und kom - men

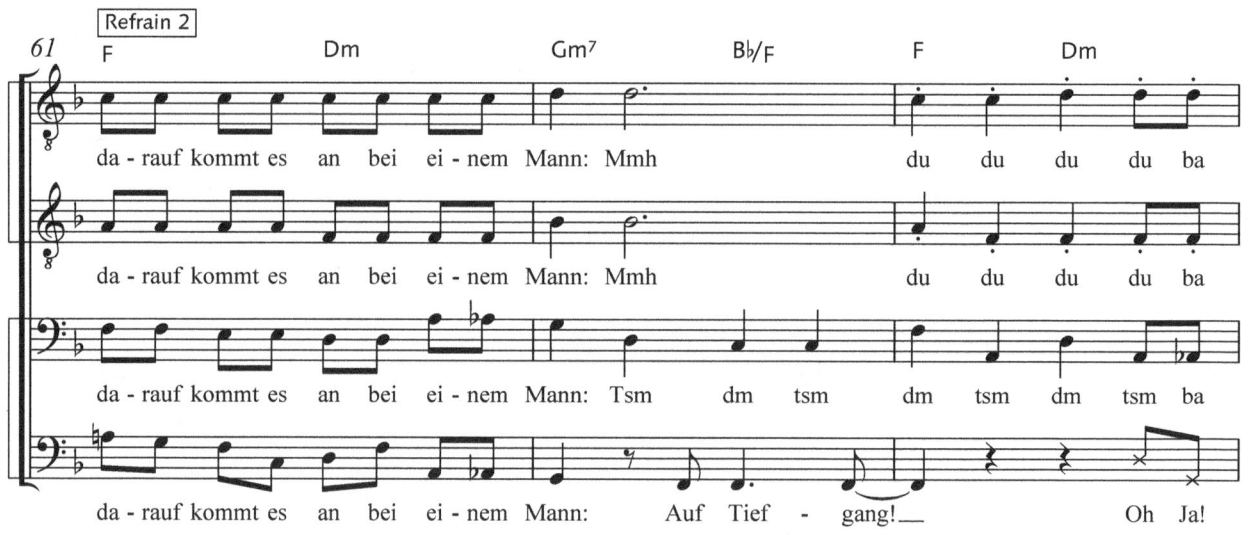

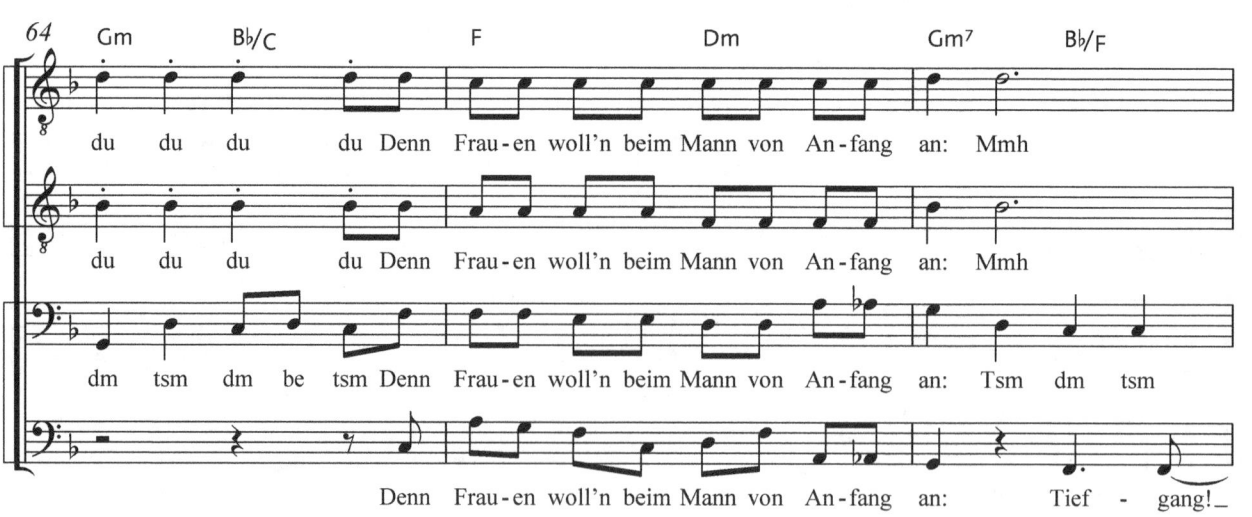

72

Tiefgang

Text und Musik: Daniel „Dän" Dickopf
Satz: Severin Geissler

Moderato Swing (♩ = 120) (♫ = ♩ ♪)

Sopran: Uh____ wa da uh____ wa da uh____ wa da

Alt: Uh____ wa da uh____ wa da uh____ wa da

Tenor: Uh____ wa da uh____ wa da uh____ wa da

Bass: Ich hab' mir das schon ein paar Jähr-chen an - ge-sehn, und in - zwi-schen ist mir ei - ni-ges klar.__ Die Män-ner woll'n den Frau - en gern den Kopf ver - dreh'n und be -

Sopran: uh____ du____

Alt: uh____ ba dum dum dum du____

Tenor: uh____ ba dum dum dum dm t dm t

Bass: -neh-men sich da - bei recht son - der - bar: Vie - le Män - ner set - zen noch auf

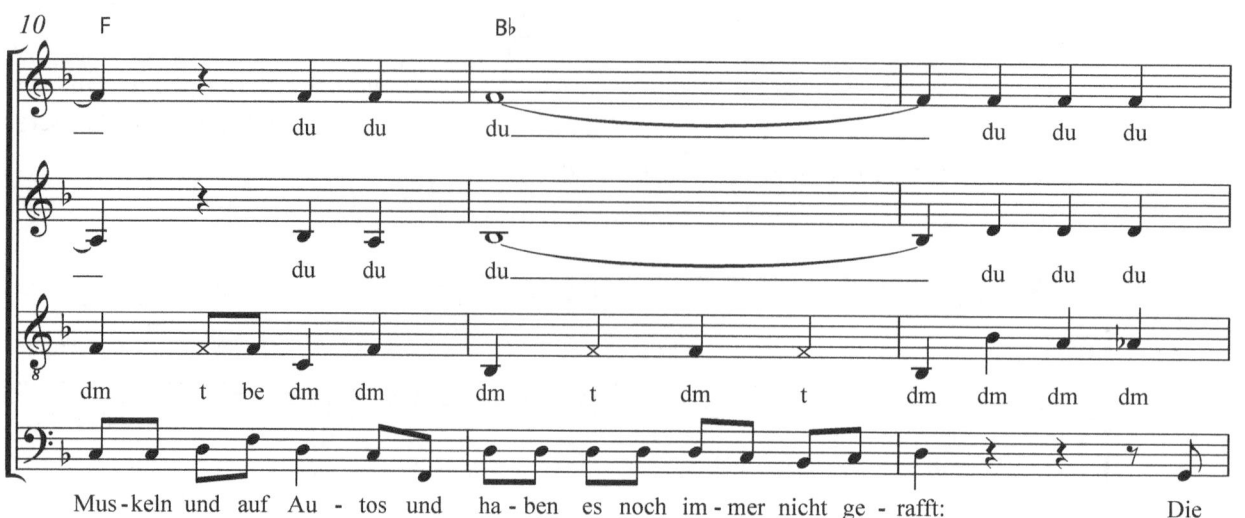

10. Mus-keln und auf Au-tos und ha-ben es noch im-mer nicht ge-rafft: Die

13. Frau'n von heu-te la-chen sich ka-putt, denn ih-nen graut bloß vor Män-nern oh-ne Hirn mit zu viel

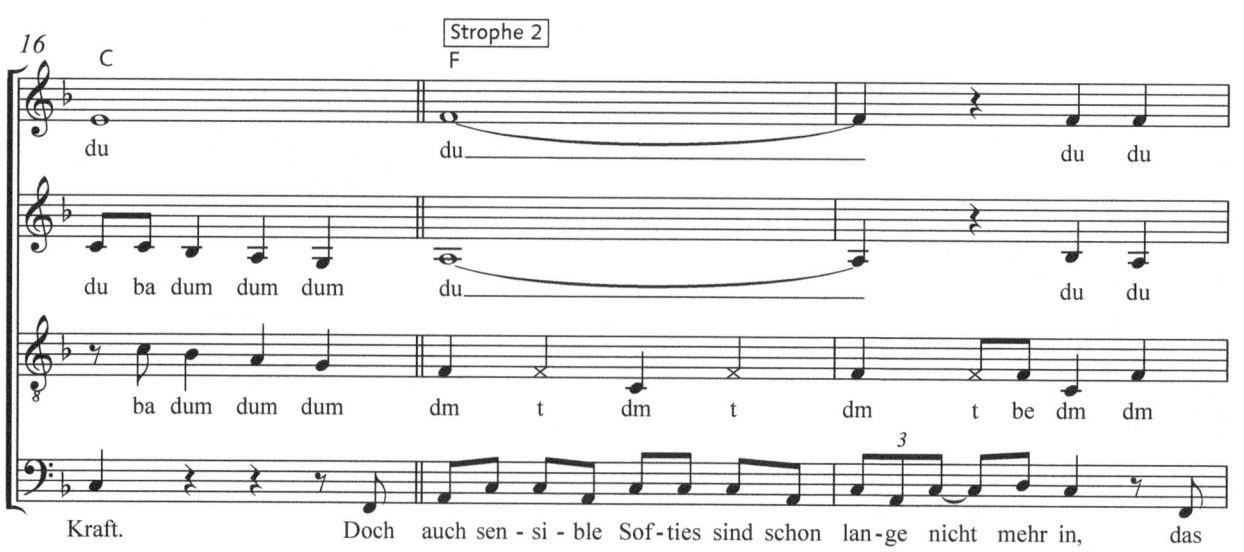

16. Kraft. Doch auch sen-si-ble Sof-ties sind schon lan-ge nicht mehr in, das

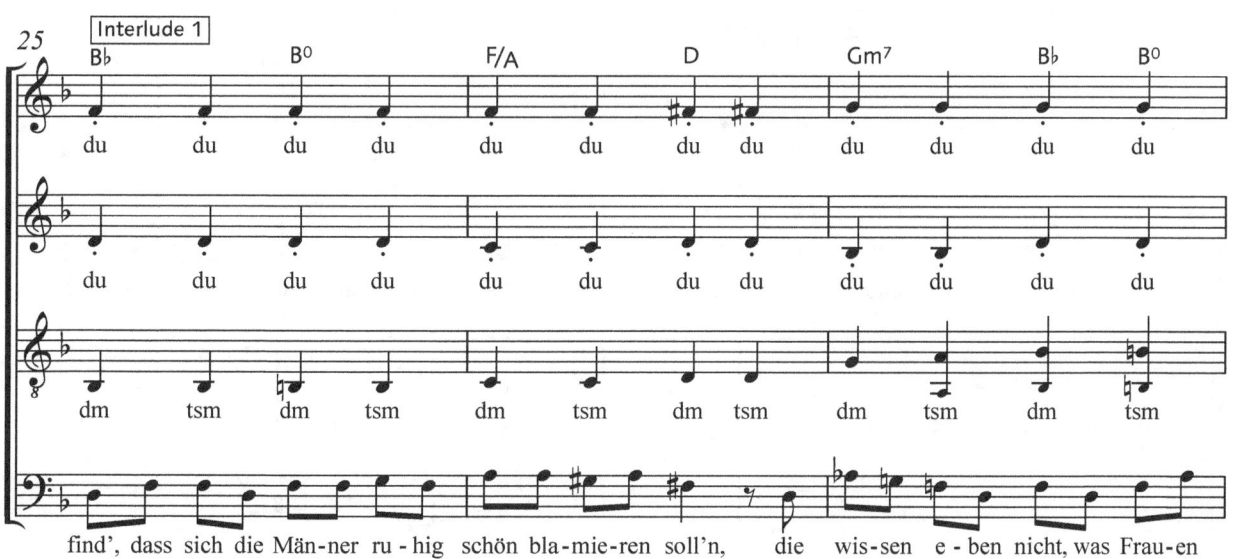

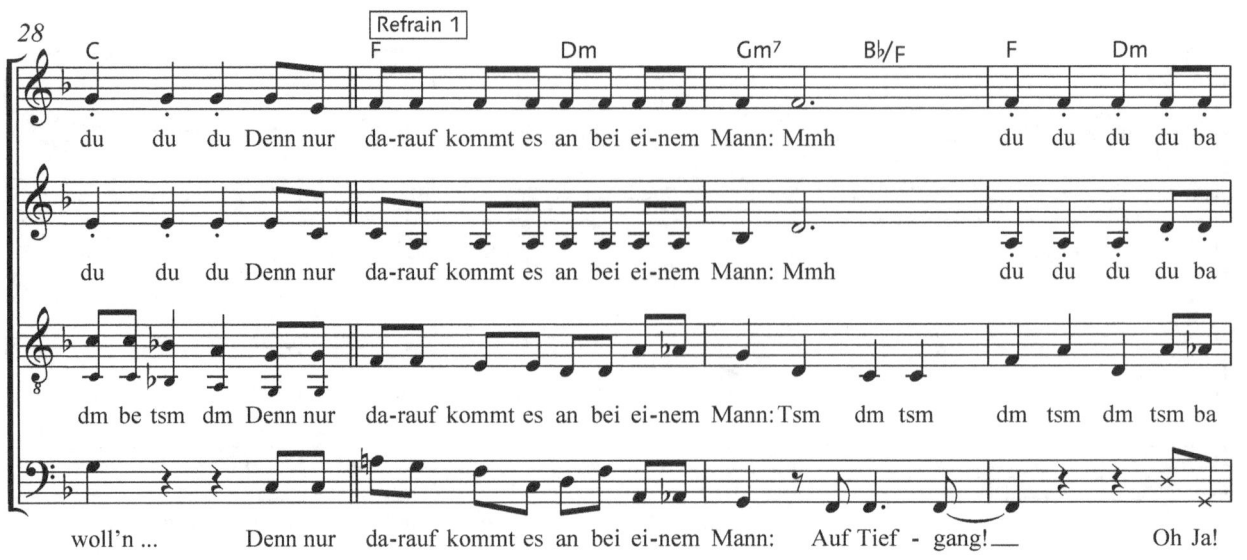

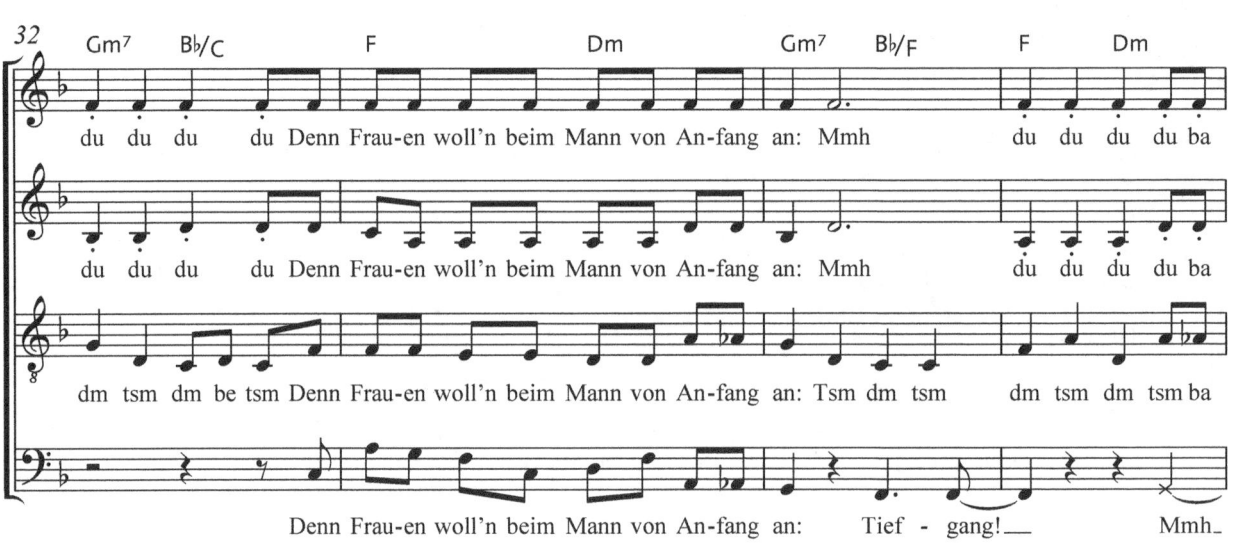

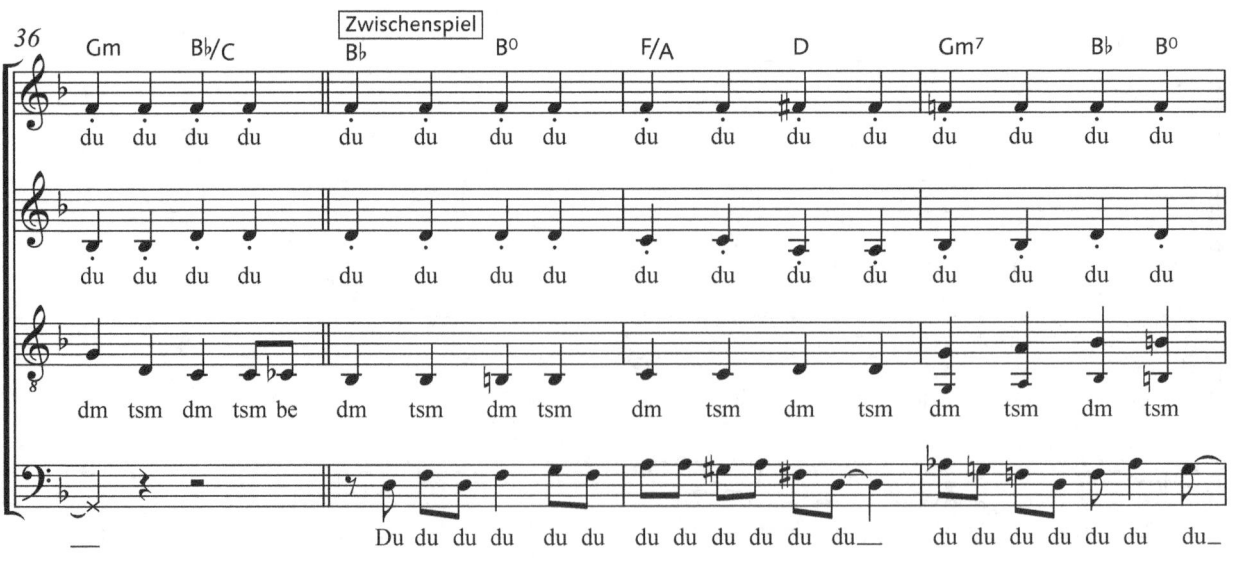

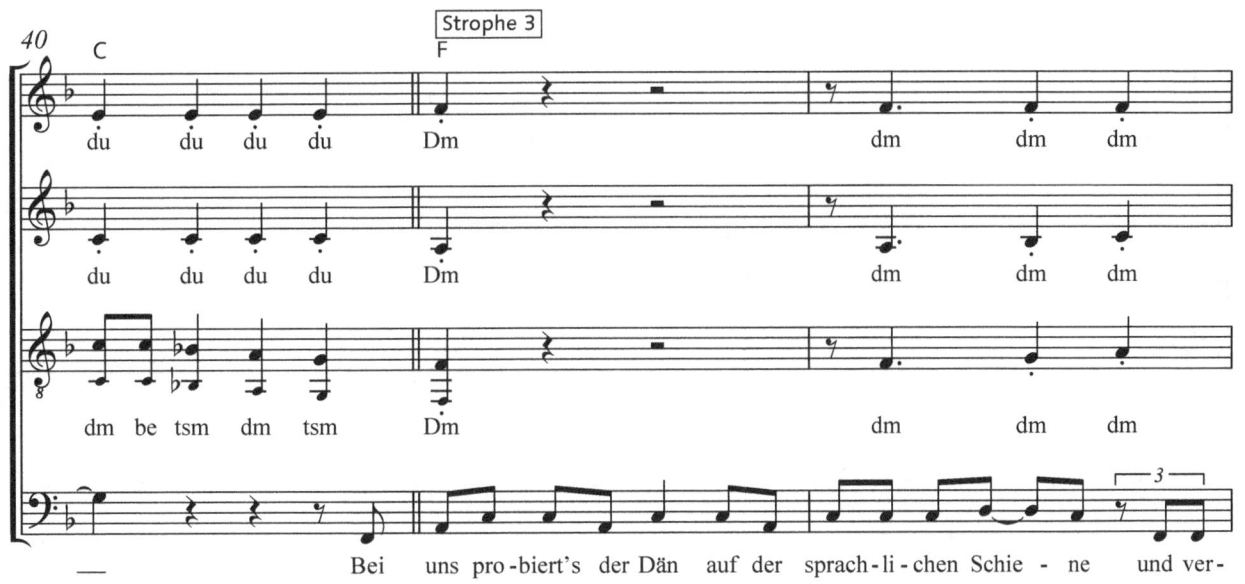

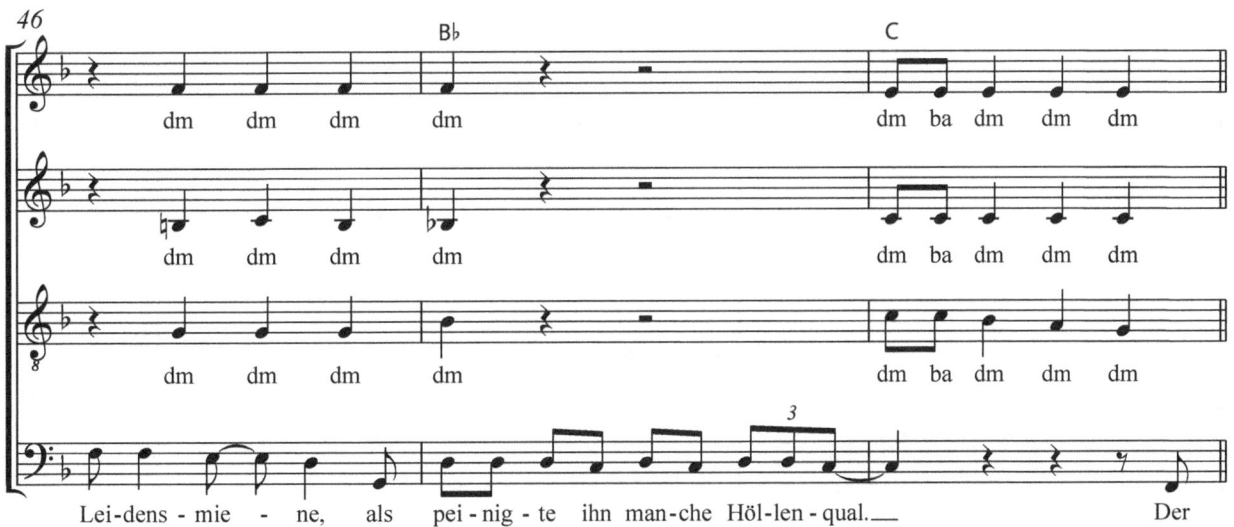

Ed-di wirkt im-mer wie ein Hek-ti-ker auf Rei-sen, dem ir-gend-wer die Bald-ri-an-pil-len

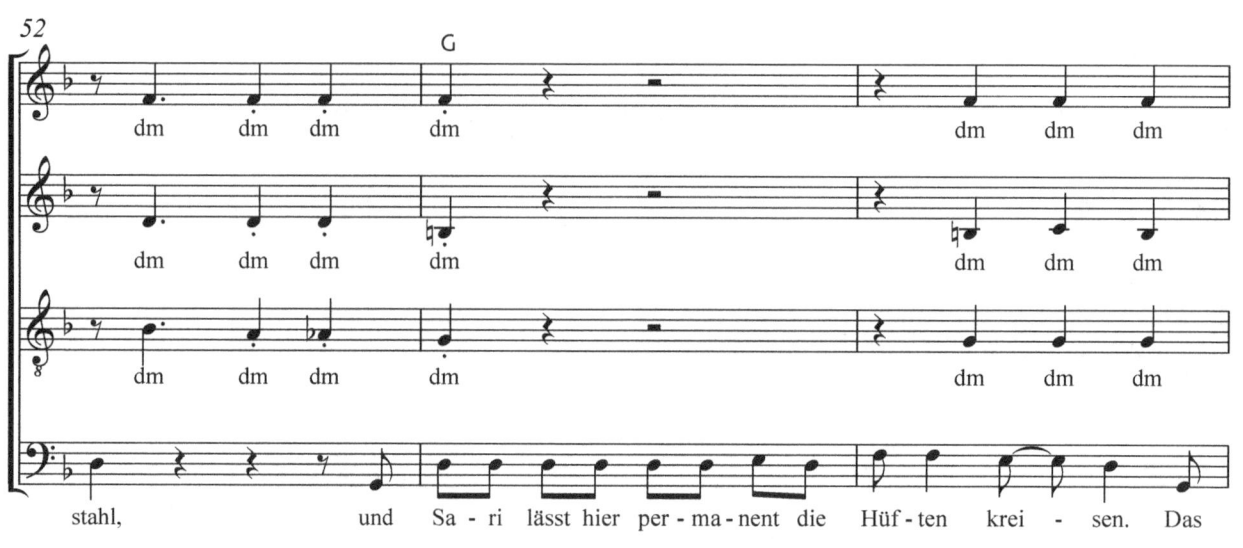

stahl, und Sa-ri lässt hier per-ma-nent die Hüf-ten krei-sen. Das

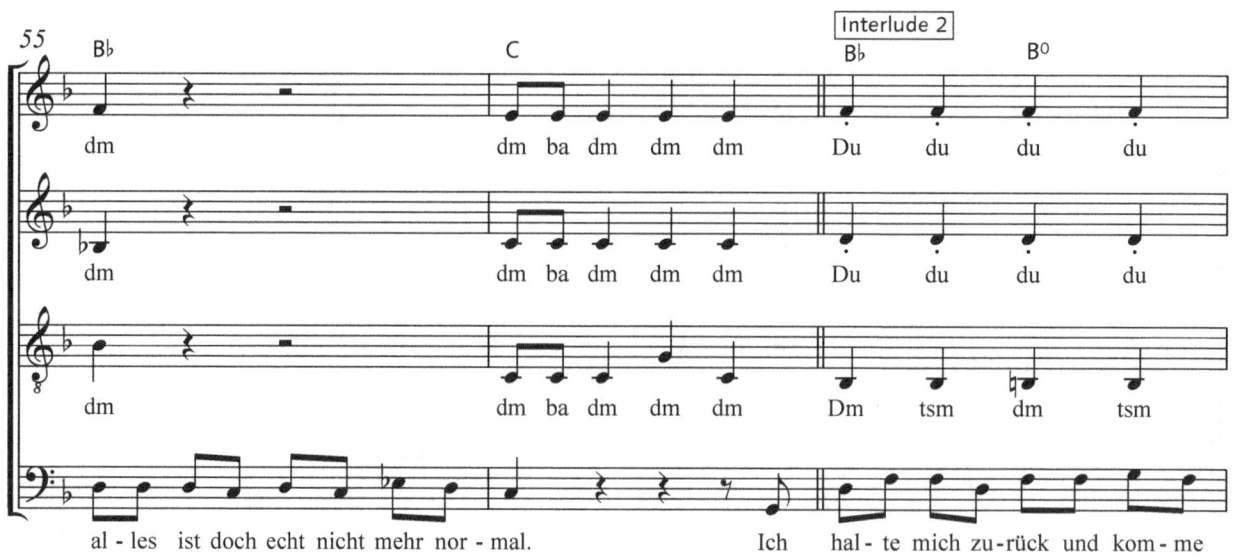

al-les ist doch echt nicht mehr nor-mal. Ich hal-te mich zu-rück und kom-me

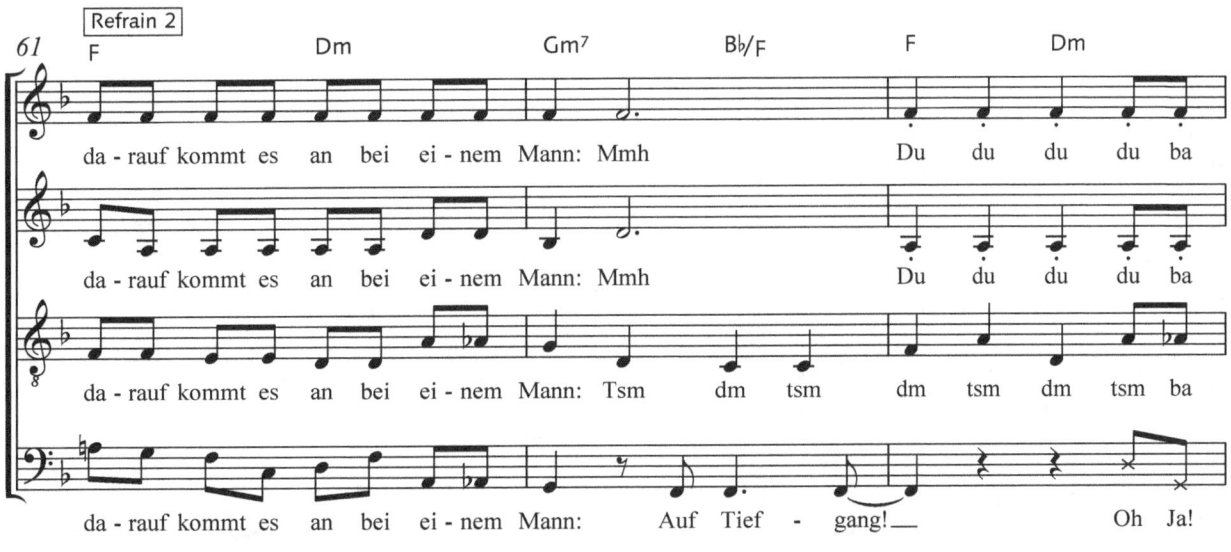

| Gm⁷ | B♭/F | F | Dm | Gm⁷ | B♭ | F⁶ |

wann: Mmh du du du du ba du du du du ba du

wann: Mmh du du du du ba du du du du ba du

wann: Tsm dm tsm dm tsm dm tsm ba dm tsm dm tsm ba du

wann: Tief - gang!___ Oh Ja! Du dn du du

Nur für dich

Text und Musik: Daniel „Dän" Dickopf
Satz: Wolfgang Thierfeldt

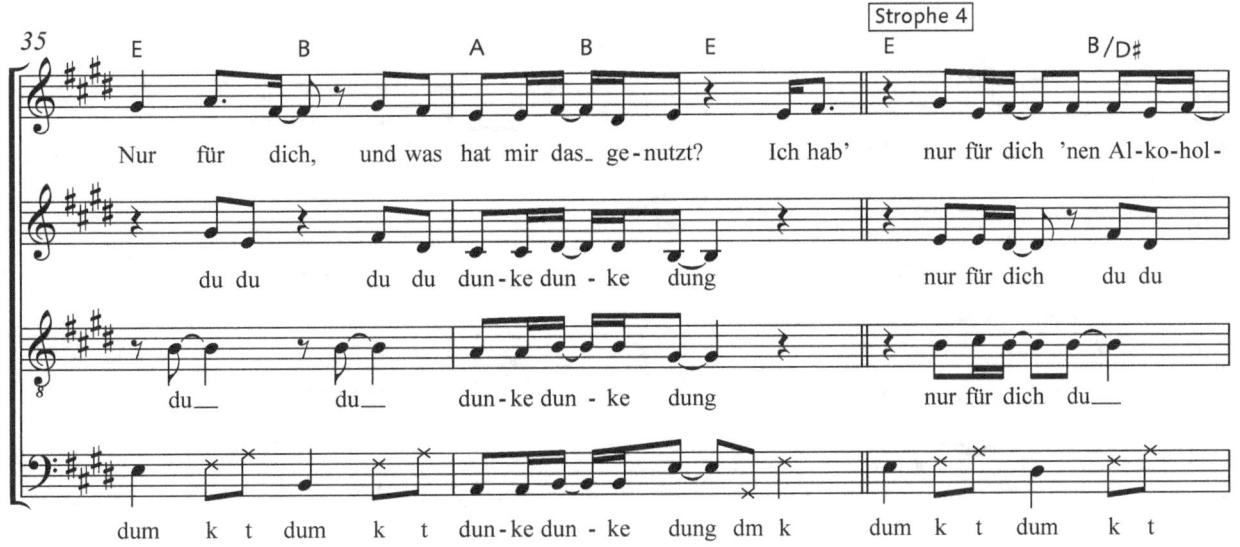

un - ge - wöhn- lich fett! Im Ein-par-ken bist du die größ-te Nie-te al-ler Zei - ten! Wenn

dao dao   dao dao   dao dao   dao dao   dao dao   dao dao

dao dao   dao dao   dao dao   dao dao   dao dao   dao dao

dao dao t dao dao t dao dao t dao dao t dao dao t dao dao t

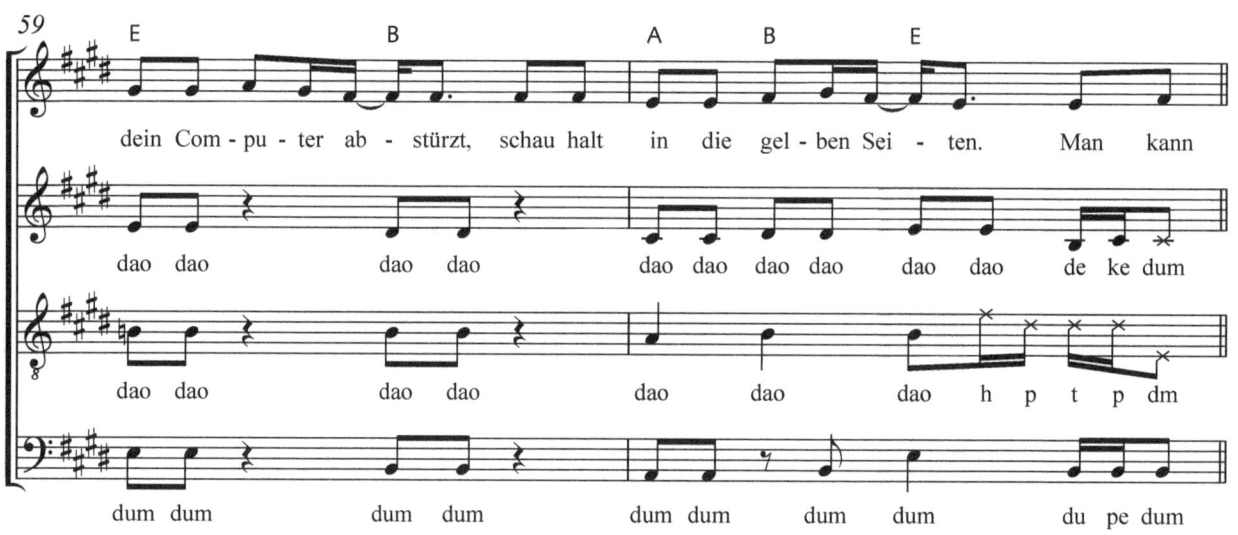

dein Com - pu - ter ab - stürzt, schau halt in die gel - ben Sei - ten. Man kann

dao dao   dao dao   dao dao dao dao   dao dao de ke dum

dao dao   dao dao   dao   dao   dao h p t p dm

dum dum   dum dum   dum dum   dum dum   du pe dum

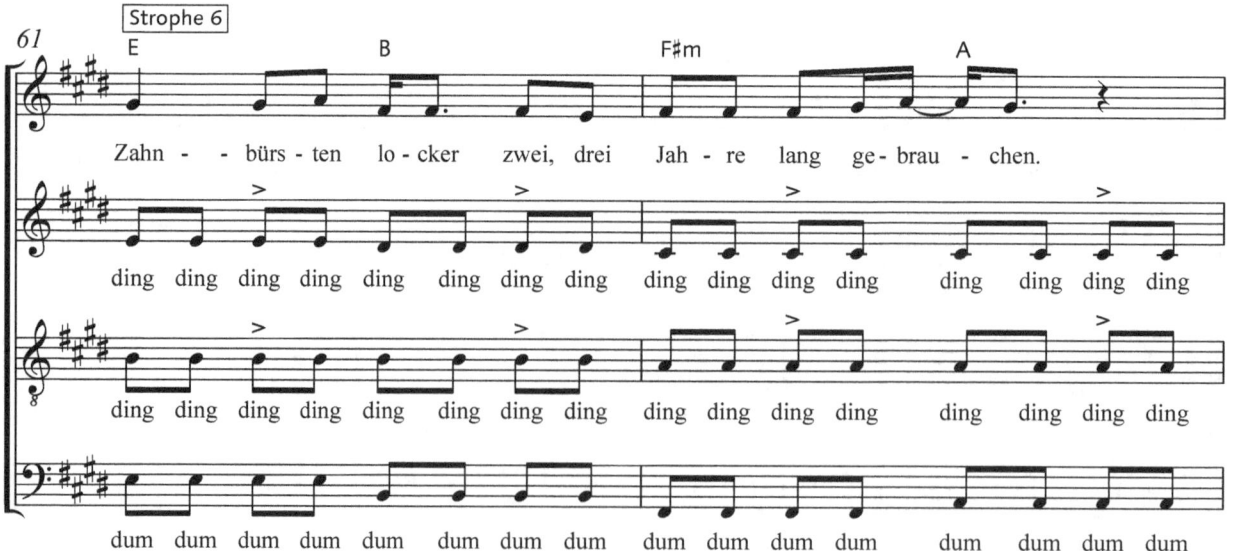

Strophe 6

Zahn - -bürs-ten lo - cker zwei, drei Jah - re lang ge-brau - chen.

ding ding ding ding ding ding ding ding ding ding ding ding ding ding ding ding ding

ding ding ding ding ding ding ding ding ding ding ding ding ding ding ding ding ding

dum dum dum dum dum dum dum dum dum dum dum dum dum dum dum dum dum dum

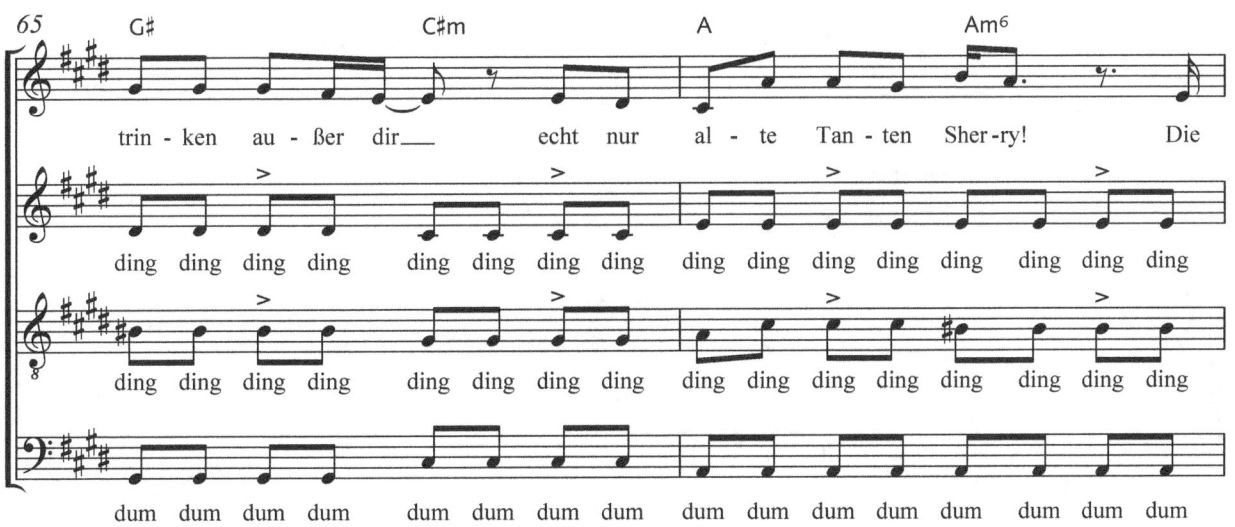

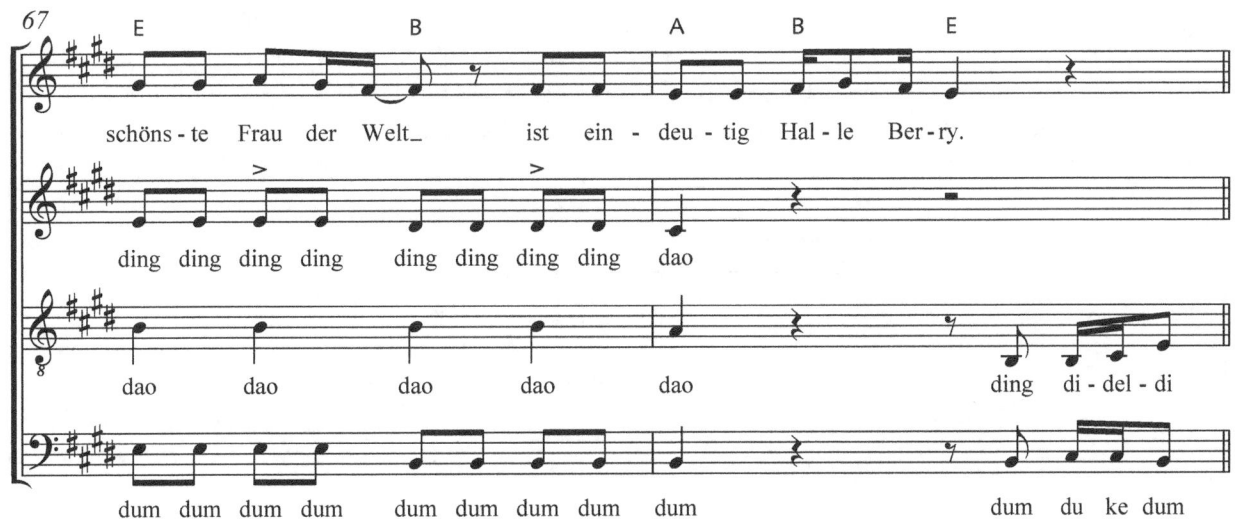

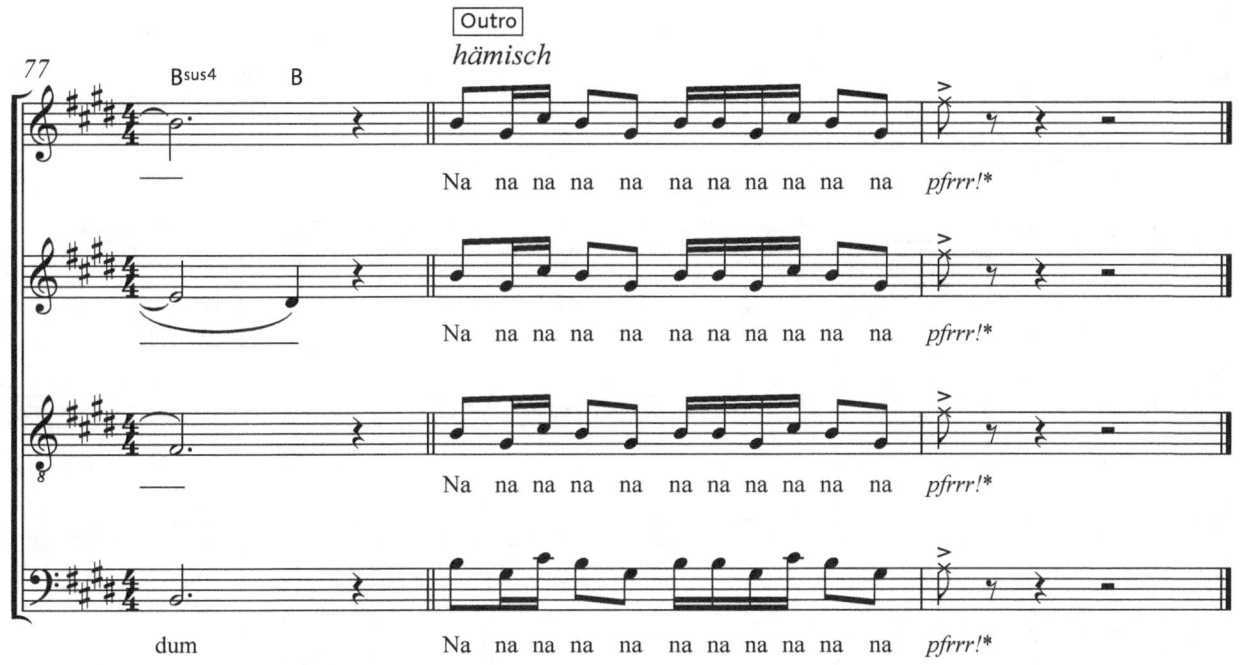

*Furzgeräusch

Ohrwurm

Text und Musik: Daniel „Dän" Dickopf
Satz: Wolfgang Thierfeldt

94

51

F   F⁷/E♭ N.C.   F   Gm⁷   Gm⁷/C

Es funk-tio-niert. Ich mer-ke, dass ich mü-de wer - de ... doch plötz-lich singt die gan-ze Her - de:

p   *mf*

dim   dim   dim   dim   dim   dim   dim   dim dim

mf

dm   dm   dim   dim   dim   dim   dim dim

(schnarchen)   *mf*

dm   dm   dm   dm   dm   dm dm

55 | Schluss-Refrain |

N.C. *f*

Hal - lo,__ hal - lo,__ ich bin dein Ohr - wurm, dein Ohr - wurm. Hal-lo!

f

Hal - lo,__ hal - lo,__ ich bin dein Ohr - wurm, dein Ohr - wurm. Hal-lo!

f

Hal - lo,__ hal - lo,__ ich bin dein Ohr - wurm, dein Ohr - wurm. Hal-lo!

59

F   F/E   Dm   Cm⁷   B♭ᵐᵃʲ⁷   B♭/A   Gm⁷ Gm⁷/C   F   F/E

Hal - lo,__ hal - lo,__ ich bin dein Ohr - wurm, dein Ohr - wurm. Hal - lo, hal-lo,__

Hal - lo,__ hal - lo,__ ich bin dein Ohr - wurm, dein Ohr - wurm. Hal - lo, hal-lo,__

Hal - lo,__ hal - lo,__ ich bin dein Ohr - wurm, dein Ohr - wurm. Hal - lo, hal-lo,__

Hal - lo,__ hal - lo,__ ich bin dein Ohr - wurm, dein Ohr - wurm. Dm dm dm dm ba

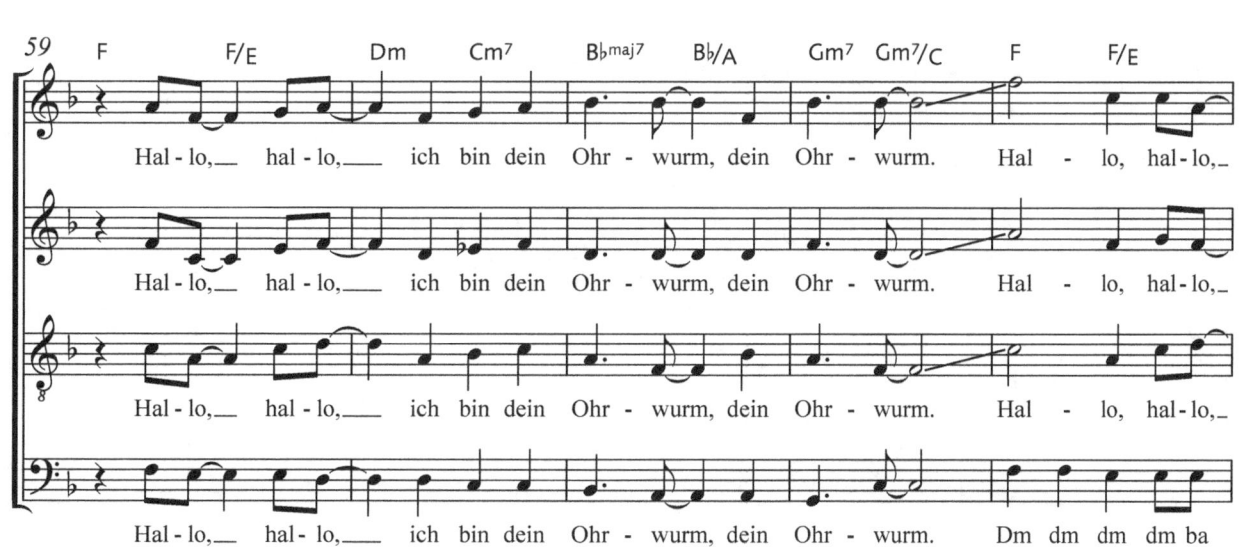

Wo der Pfeffer wächst

Text und Musik: Daniel „Dän" Dickopf
Satz: Severin Geissler

100

Strophe 1

9 G ··· C ··· Am7

Heu-te ist der Tag, als ich dich erst-mals traf, ich glaub', ich wer-de das wohl nie ver-ges-

Du du du du du du du du du

Du du du du du du du du du

Du du g du_ g du du du du du du du g du_ g du

12 Dsus4 D ··· G ··· C

- - sen. Wir be - ka-men da - mals bei - de ziem-lich we-nig Schlaf und ha - ben oft_

du du du du du du du du du

du du du du du du du du du du

du du g du_ g du du du du du du du du

15 Am7 ··· Dsus4 D ··· Am7

_ zu - sam - men hier drau-ßen ge - ses - sen. Dann hast du mit mir Schluss ge-macht,_

du du du du du du du du

du du du du du du Dann hast du mit mir Schluss ge-macht,_

du du g du_ g du du du du du du du du g du_ g du

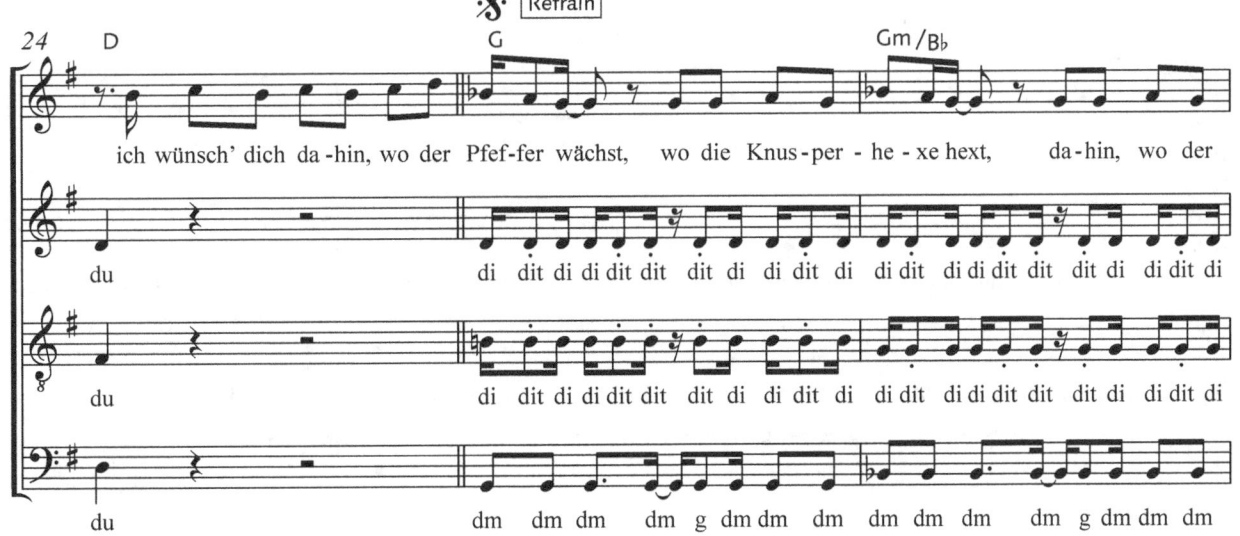

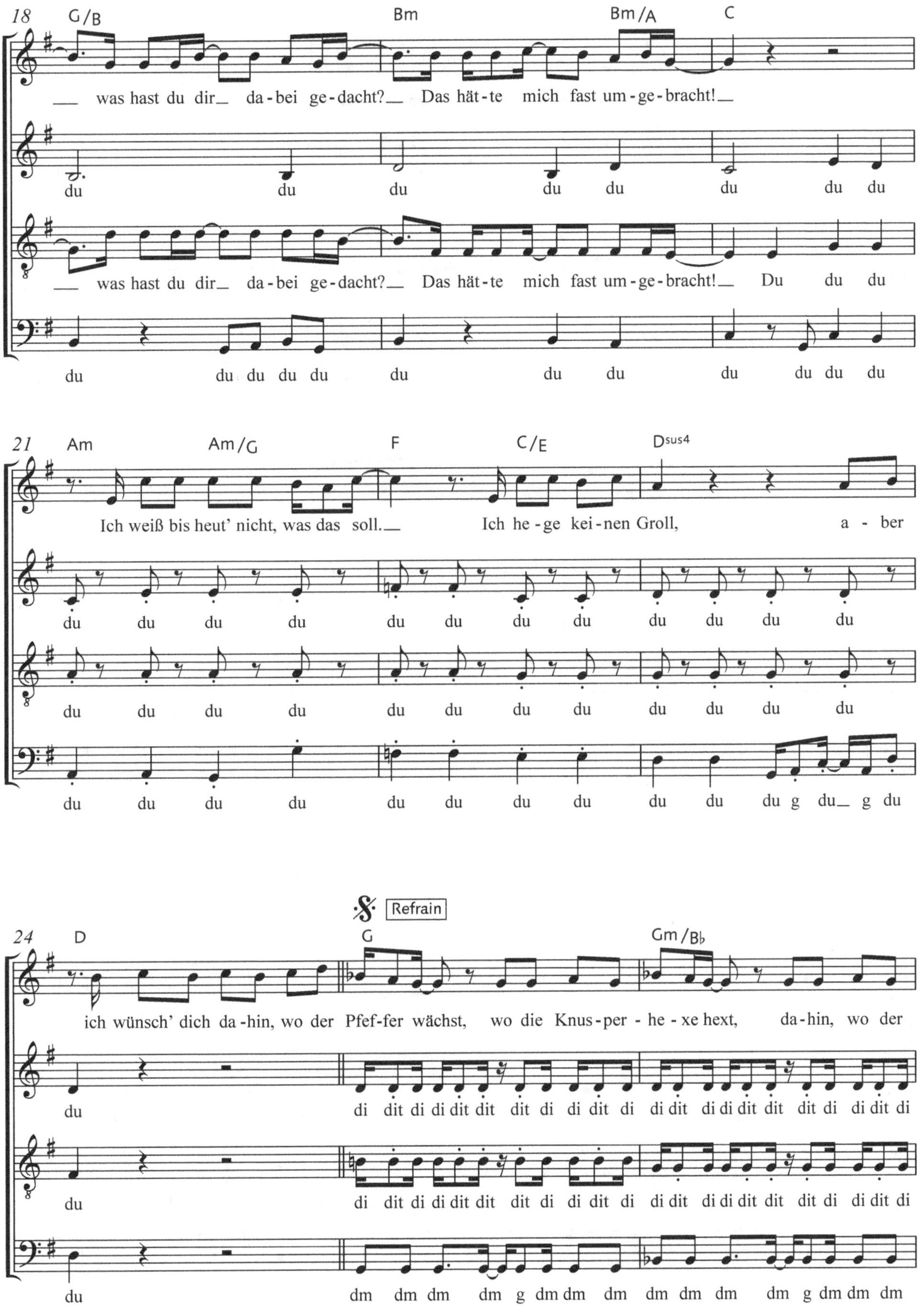
18
G/B
Bm
Bm/A
C
was hast du dir da-bei ge-dacht? Das hät-te mich fast um-ge-bracht!
du du du du du du du du
was hast du dir da-bei ge-dacht? Das hät-te mich fast um-ge-bracht! Du du du
du du du du du du du du du du du du
21
Am
Am/G
F
C/E
Dsus4
Ich weiß bis heut' nicht, was das soll. Ich he-ge kei-nen Groll, a-ber
du du du du du du du du du du du du
du du du du du du du du du du du du
du du du du du du du du du du du g du g du
24
D
Refrain
G
Gm/B♭
ich wünsch' dich da-hin, wo der Pfef-fer wächst, wo die Knus-per-he-xe hext, da-hin, wo der
du di dit di di dit dit dit di di dit di di dit di di dit dit dit di di dit di
du di dit di di dit dit dit di di dit di di dit di di dit dit dit di di dit di
du dm dm dm dm g dm dm dm dm dm dm dm g dm dm dm

27

C

G

Ye - ti wohnt, o - der gleich zum Mann im Mond. Ich wün-sche dich und dein Por - zel-

di dit di di dit dit dit di di dit di di dit di di dit dit dit di di dit di

di dit di di o - der gleich zum Mann im Mond. Dit dit di di dit di

dm dm dm dm_ g dm dm dm dm dm dm dm_ g dm dm dm

29

G

Gm/B♭

-lan - ge - sicht da - hin, wo nie - mand deutsch und en - glisch spricht, wo ab und zu 'n_ Sack

di dit di di dit dit dit di di dit di di dit di di dit dit dit di di dit di

di dit di di dit dit dit di di dit di di dit di di dit dit dit di di dit di

dm dm dm dm_ g dm dm dm dm dm dm dm_ g dm dm dm

31

C

G

Reis um - fällt: ich wünsch dich an den Arsch der_ Welt,_ an den Arsch der Welt!

di dit di di dit ich wünsch dich an den Arsch der_ Welt,_ an den Arsch der Welt!_

di dit di di dit dit dit di di dit di di dit di di dit dit dit di di dit di

dm dm dm dm_ g dm dm dm dm dm dm g dm_ g dm dm dm

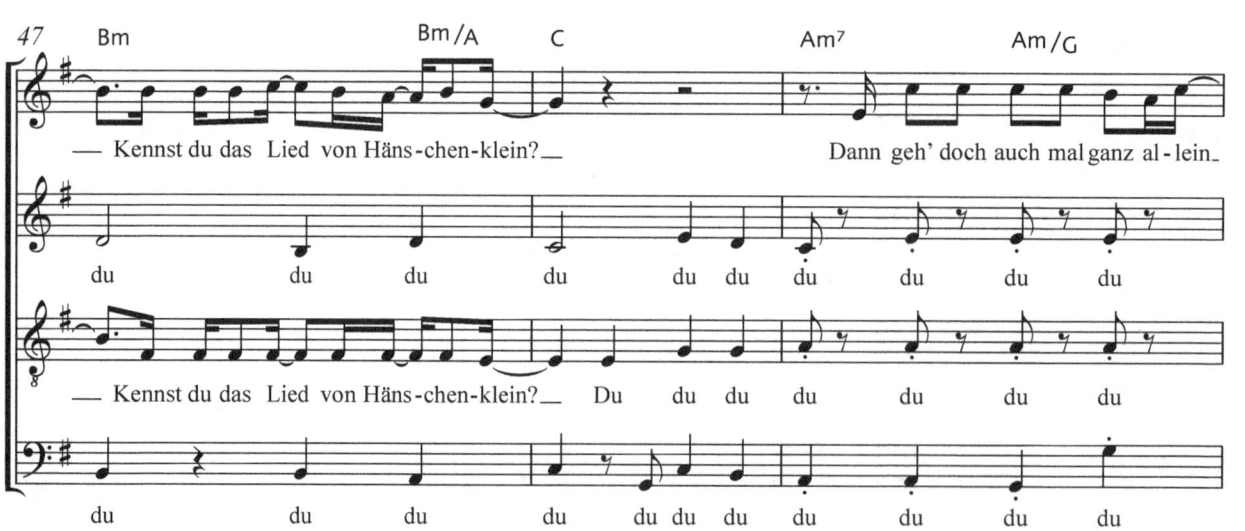

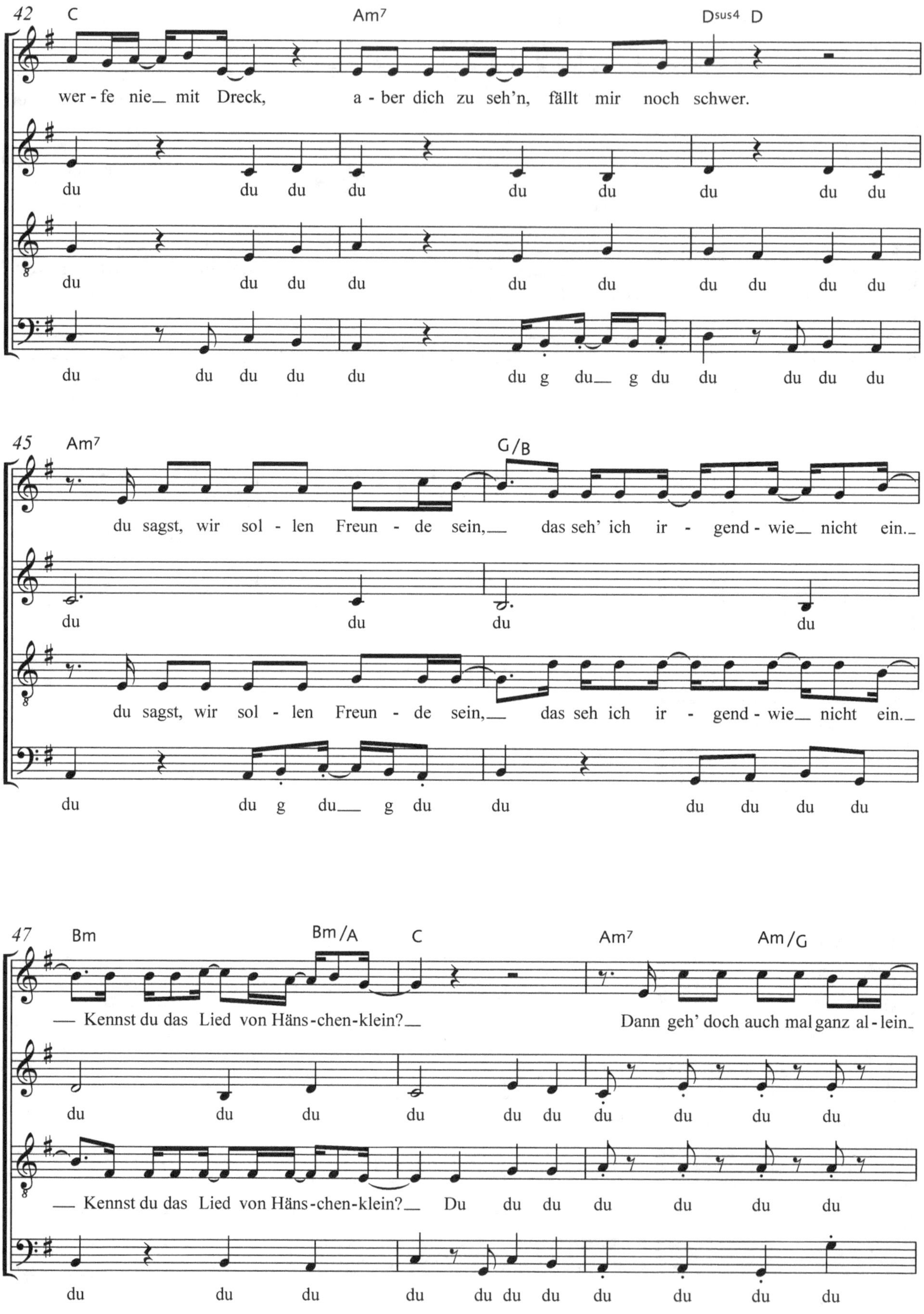
42 C Am7 Dsus4 D
wer - fe nie mit Dreck, a - ber dich zu seh'n, fällt mir noch schwer.
du du du du du du du du du
du du du du du du du du du du
du du du du du du g du g du du du du du
45 Am7 G/B
du sagst, wir sol - len Freun - de sein, das seh' ich ir - gend - wie nicht ein.
du du du du
du sagst, wir sol - len Freun - de sein, das seh ich ir - gend - wie nicht ein.
du du g du g du du du du du du
47 Bm Bm/A C Am7 Am/G
Kennst du das Lied von Häns - chen - klein? Dann geh' doch auch mal ganz al - lein.
du du du du du du du du du du
Kennst du das Lied von Häns - chen - klein? Du du du du du du du
du du du du du du du du du du du

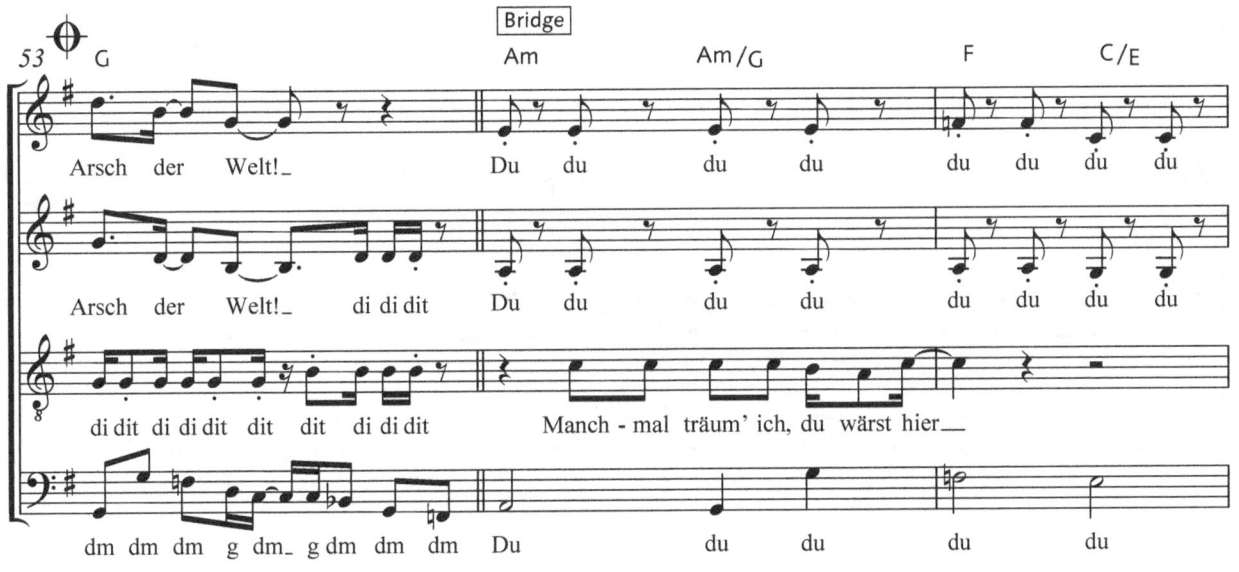

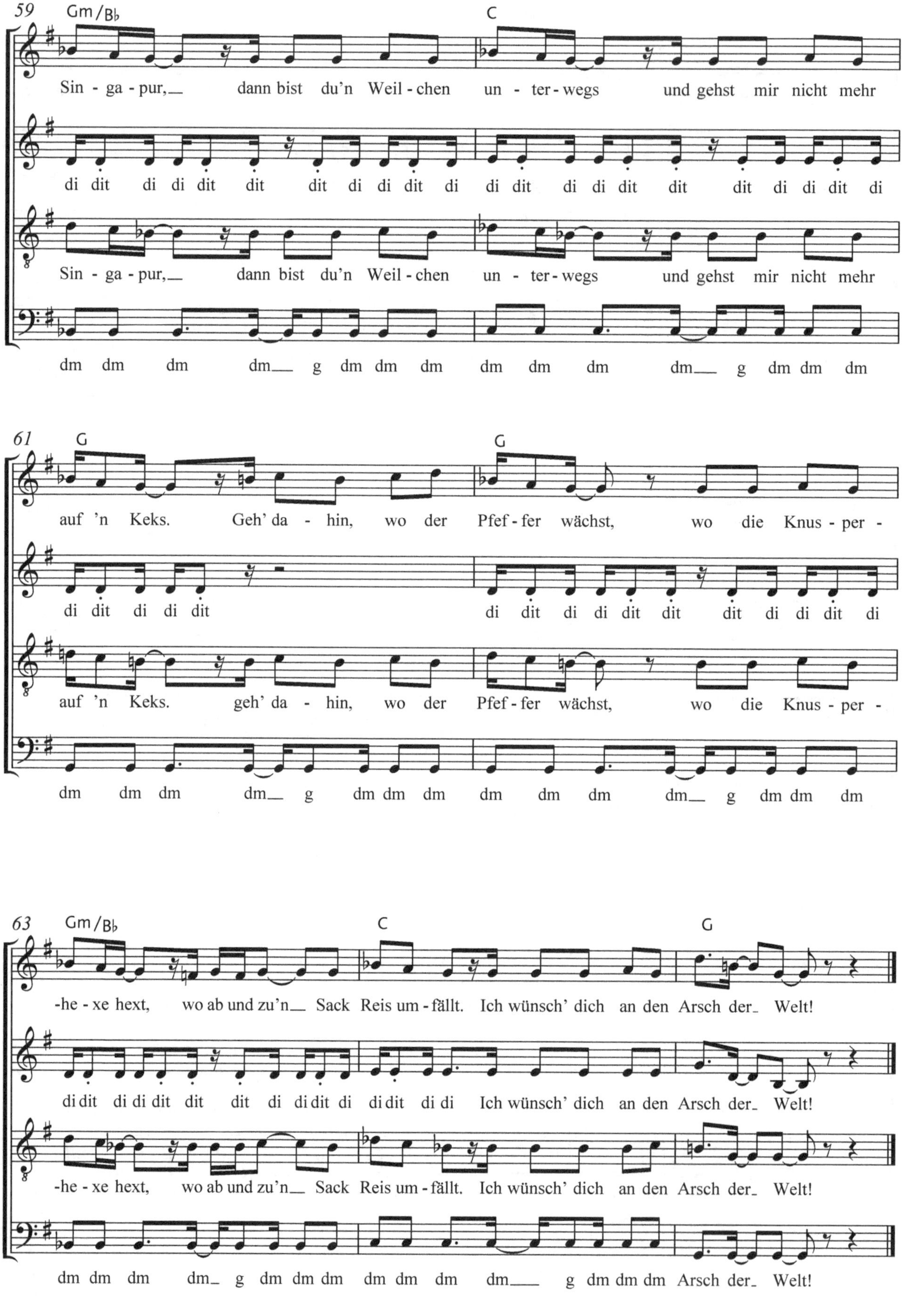
59
Gm/B♭
C
Sin - ga - pur, dann bist du'n Weil - chen un - ter - wegs und gehst mir nicht mehr
di dit di di dit dit dit di di dit di di dit di di dit dit dit di di dit di
Sin - ga - pur, dann bist du'n Weil - chen un - ter - wegs und gehst mir nicht mehr
dm dm dm dm g dm dm dm dm dm dm dm g dm dm dm
61
G
G
auf 'n Keks. Geh' da - hin, wo der Pfef - fer wächst, wo die Knus - per -
di dit di di dit
di dit di di dit dit dit di di dit di
auf 'n Keks. geh' da - hin, wo der Pfef - fer wächst, wo die Knus - per -
dm dm dm dm g dm dm dm dm dm dm dm g dm dm dm
63
Gm/B♭
C
G
-he - xe hext, wo ab und zu'n Sack Reis um - fällt. Ich wünsch' dich an den Arsch der Welt!
di dit di di dit dit dit di di dit di di dit di di Ich wünsch' dich an den Arsch der Welt!
-he - xe hext, wo ab und zu'n Sack Reis um - fällt. Ich wünsch' dich an den Arsch der Welt!
dm dm dm dm g dm dm dm dm dm dm dm g dm dm dm Arsch der Welt!

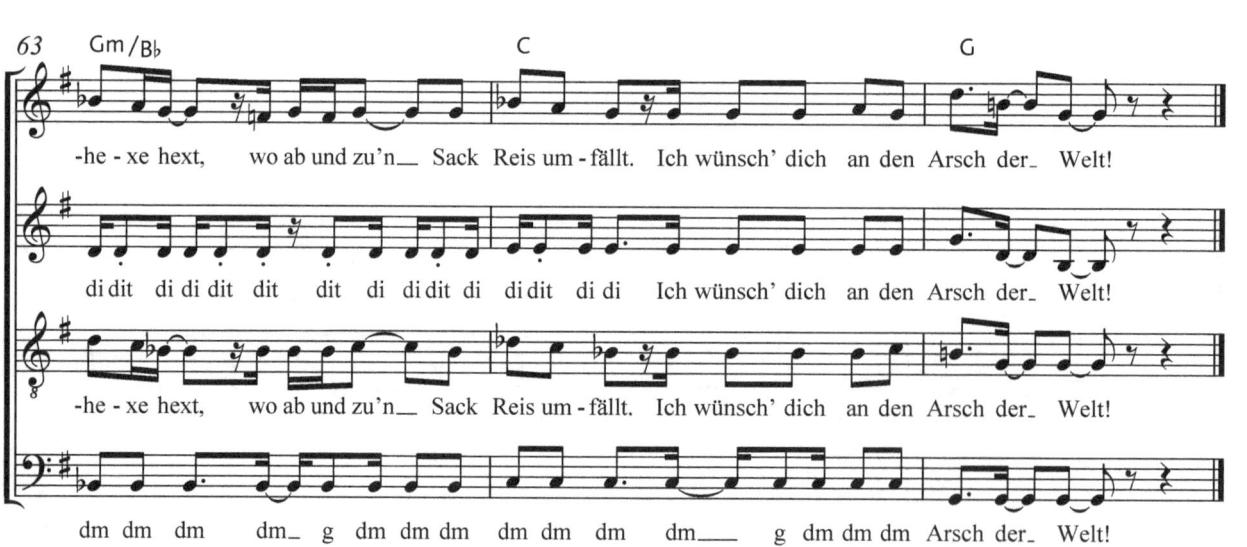

Chocolate Chip Cookies

Text: Daniel „Dän" Dickopf
Musik: D. Dickopf, E. Hüneke
Satz: Severin Geissler

116

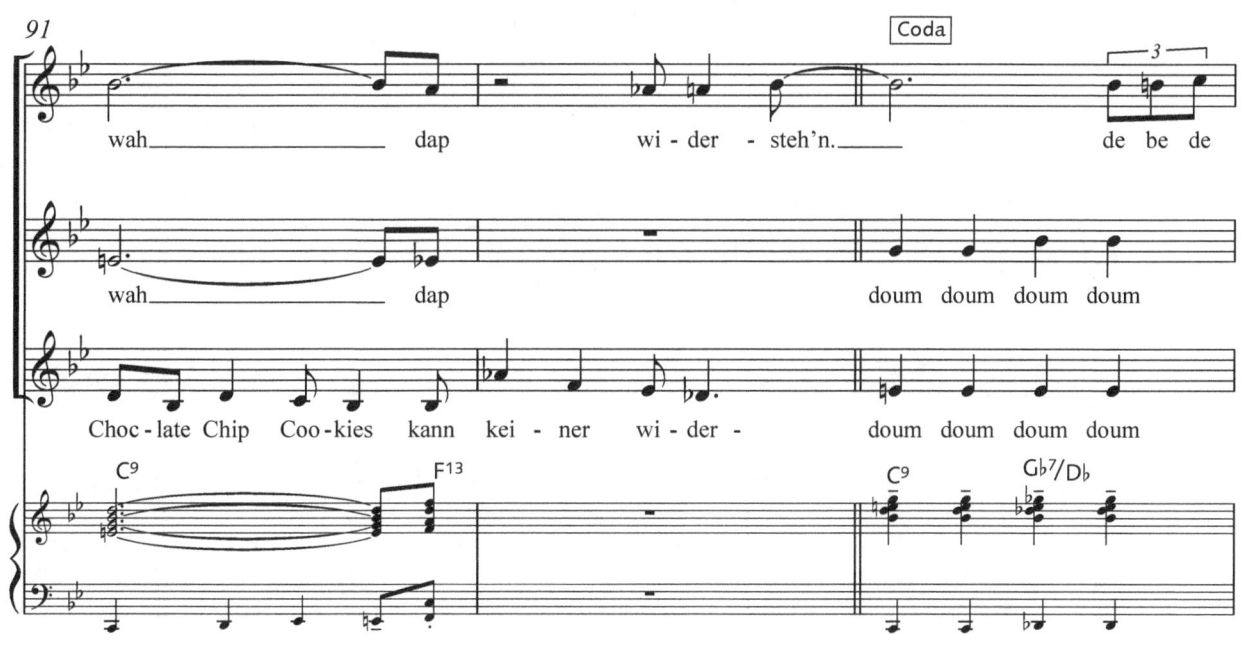

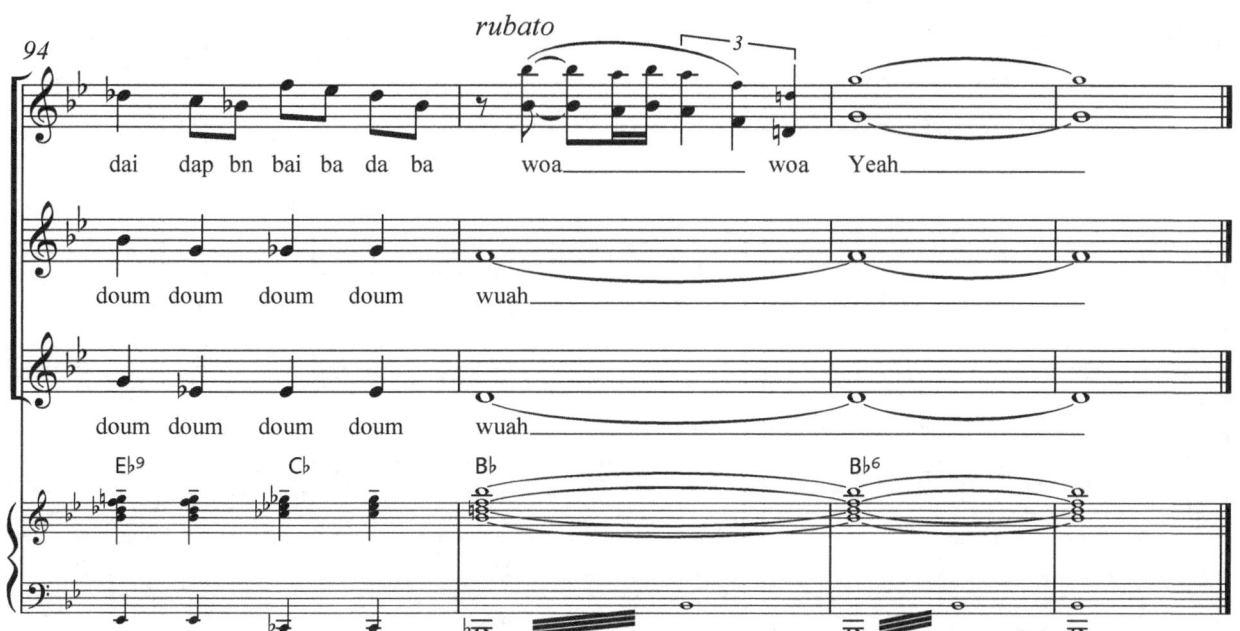

Powerfrau

Text und Musik: Daniel „Dän" Dickopf
Satz: Severin Geissler

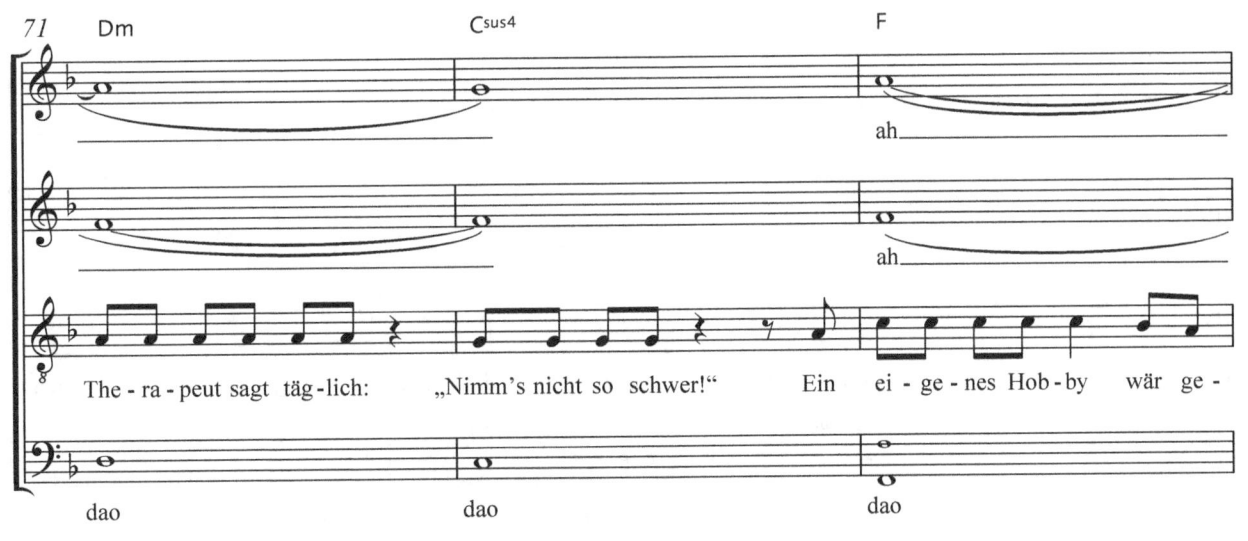

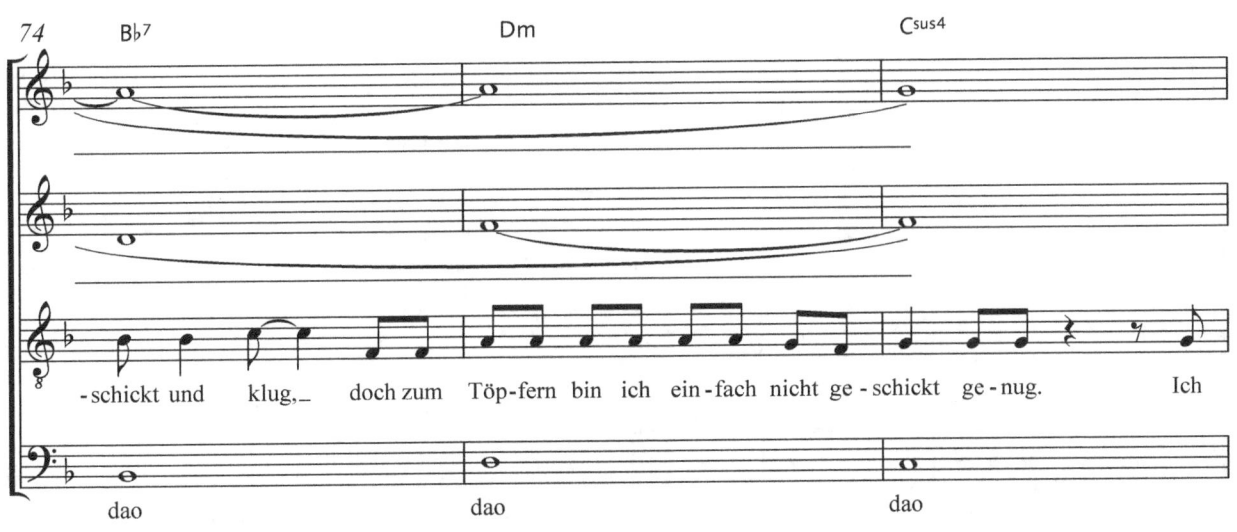

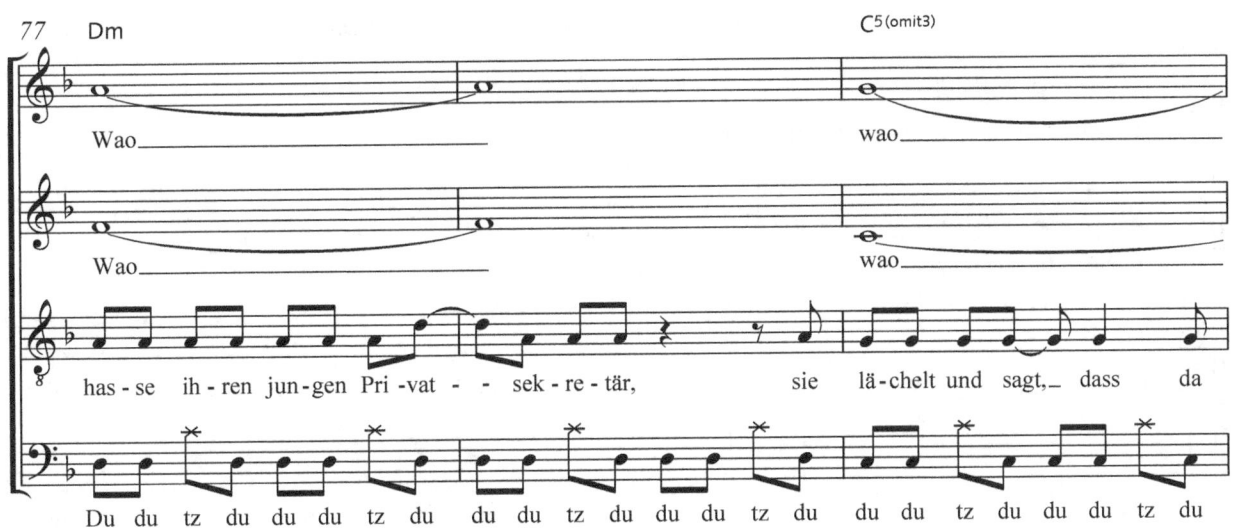

ab-so-lut nix wär, doch der Typ hat Mus-keln, da komm' ich nicht ge-gen an, und ich

du du tz du du du tz du du du tz du du du tz du du du tz du du du tz du

Sie ist 'ne Pow-er-frau, bah der

wao

Sie ist 'ne Pow-er-frau, und das ist ih-re Art_ der

trau' ihr nicht, sie ist ja auch nur ein Mann! bah bah

du du tz du du du tz du du du tz du du du tz du bah bah

Ra-che für fünf-tau-send Jah-re Pat-ri-ar-chat, ba ba__

Ra-che für fünf-tau-send Jah-re Pat-ri-ar-chat, ba ba__

bah bah doch im Schei-dungs-recht_ kenn' ich mich

bah bah doch im Schei-dungs-recht_ kenn' ich mich

90

Sing mal wieder

Text und Musik: Daniel „Dän" Dickopf
Satz: Wolfgang Thierfeldt

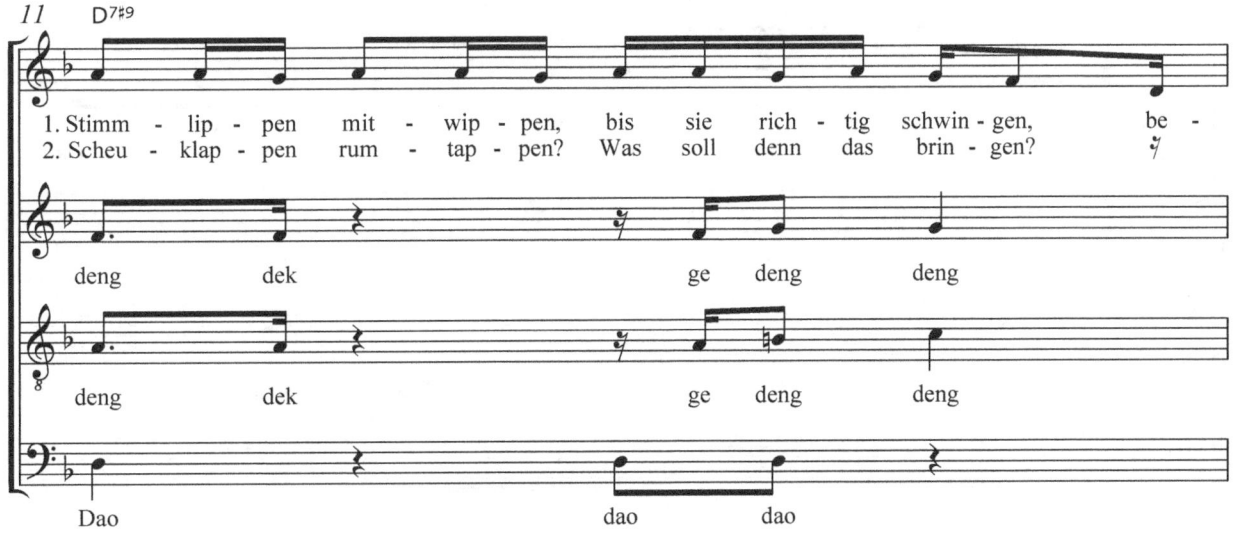

Strophe 1+2

wah dap___ wap wap wap

{ 1. Wenn die Luft aus der Lun-ge Rich-tung Kehl-kopf fließt, wenn das
{ 2. Wer nicht schön sin-gen kann, na, der singt halt laut, denn die

wah dap___ wap wap wap Dao deng deng

dao de de dl det wap wap wap Dao deng deng

dao de de dl det wap wap wap Dao dao dao

1. Stimm - band - sys - tem al - les gut ver - schließt,___ wenn die
2. Haupt - sa - che ist, dass man sich was traut. Nur mit

dao deng deng

dao deng deng

dao dao dao

1. Stimm - lip - pen mit - wip - pen, bis sie rich - tig schwin - gen, be -
2. Scheu - klap - pen rum - tap - pen? Was soll denn das brin - gen?

deng dek ge deng deng

deng dek ge deng deng

Dao dao dao

12 F G
1. -zeich - net man den Vor - gang all - ge - mein als „Sin - gen“. Der
2. Mach dich ein - fach lo - cker und fang an zu sin - gen. Wer
wah wah
wah wah
ah ah
13 D7♯9
1. Kehl - kopf ist da - bei der Ton - - - ge - ne - ra - tor. Die
2. singt, bei dem kann man oh - ne Sor - gen pen - nen, weil
dao deng deng
dao deng deng
dao dao dao
14
1. Stimm - - bän - der sind ge - wis - ser - ma - ßen der Vi - bra - tor.
2. bö - se Men - schen e - ben kei - ne gu - ten Lie - der ken - nen. Das
dao deng deng
dao deng deng
dao dao dao

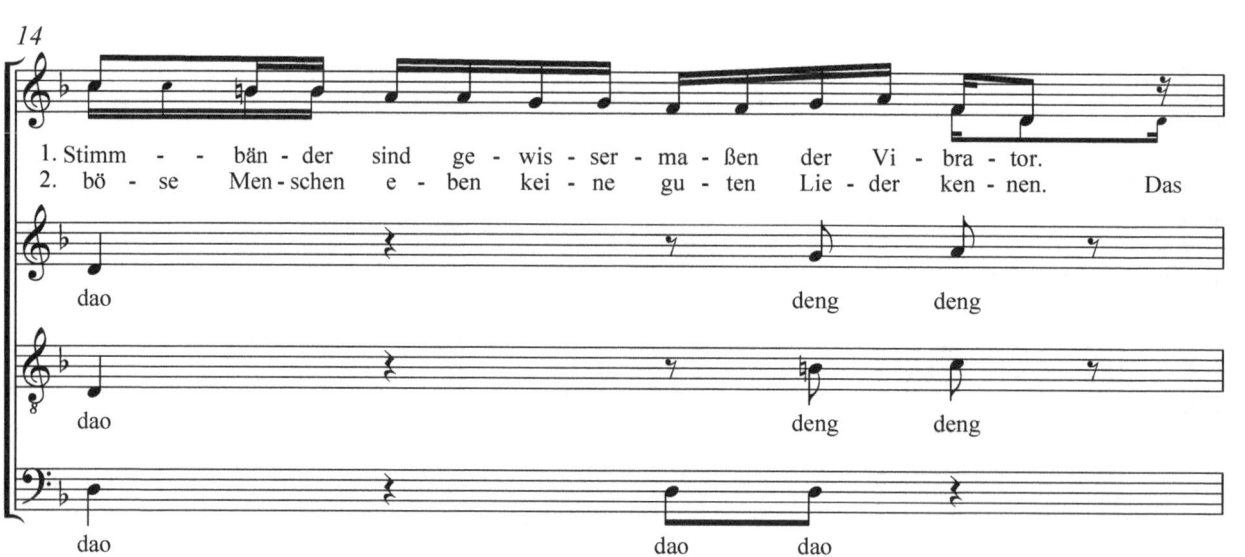

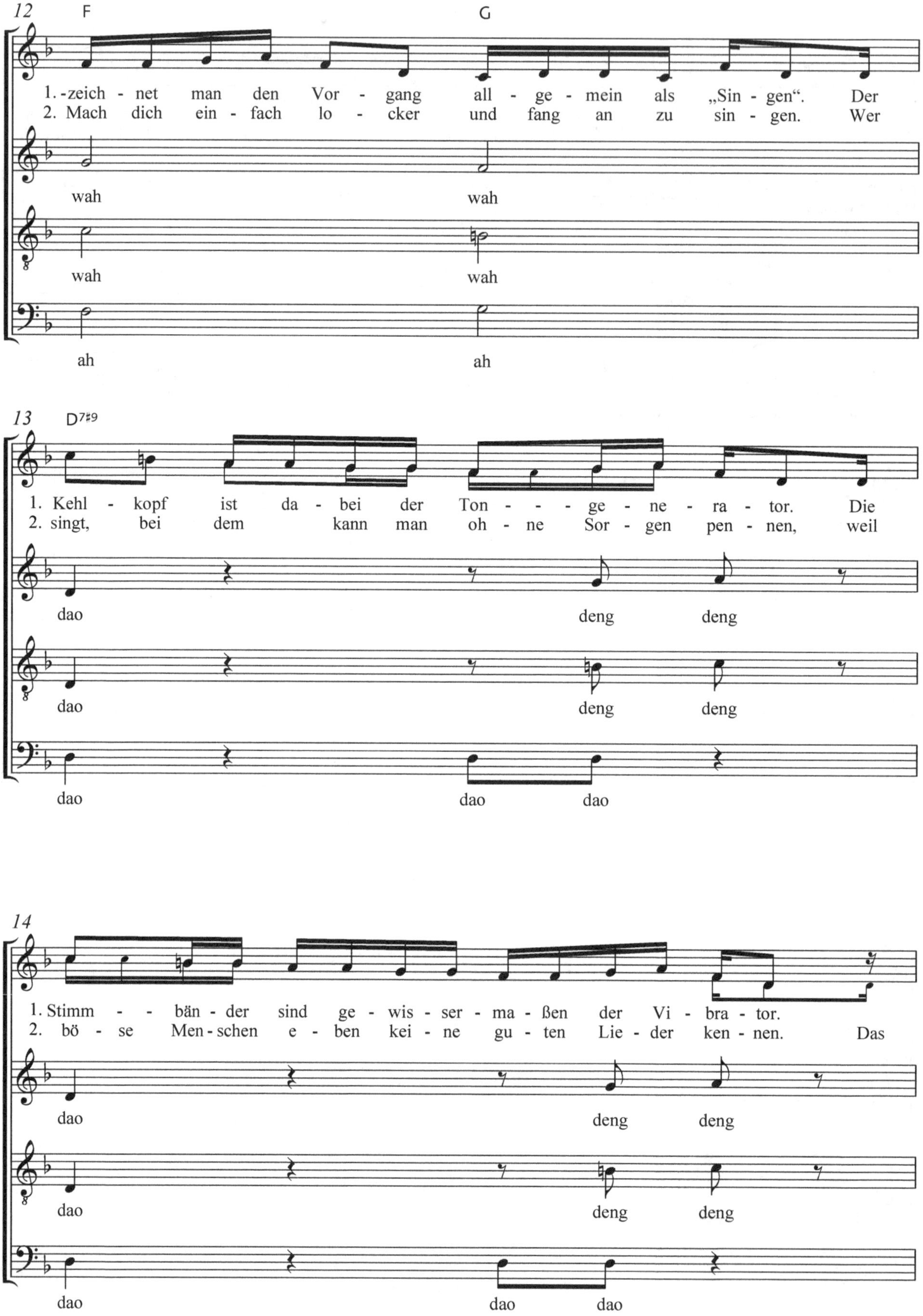

43
D7♯9
F
G
sing, wenn du spon-tan ver-reist, sing, au-ßer wenn du Die-ter Boh-len heißt!
dao de de dl det wep wep we dep ah ah
sing sing sing sing ah ah
dao de de dl det wep wep we dep dao de de dl det dao de de dl det
45
D7♯9
F
G
Sing, wenn du bei 'ner Tau-fe bist, sing, wenn die Tau-fe schon ge-lau-fen ist,
dao de de dl det wep wep we dep ah ah
sing sing sing sing ah ah
dao de de dl det wep wep we dep dao de de dl det dao de de dl det
47
D7♯9
F
G
sing zur Be-för-de-rung, sing auch bei 'ner Be-er-di-gung!
dao de de dl det wep wep we dep ah ah
sing sing sing sing ah ah
dao de de dl det wep wep we dep dao de de dl det dao de de dl det

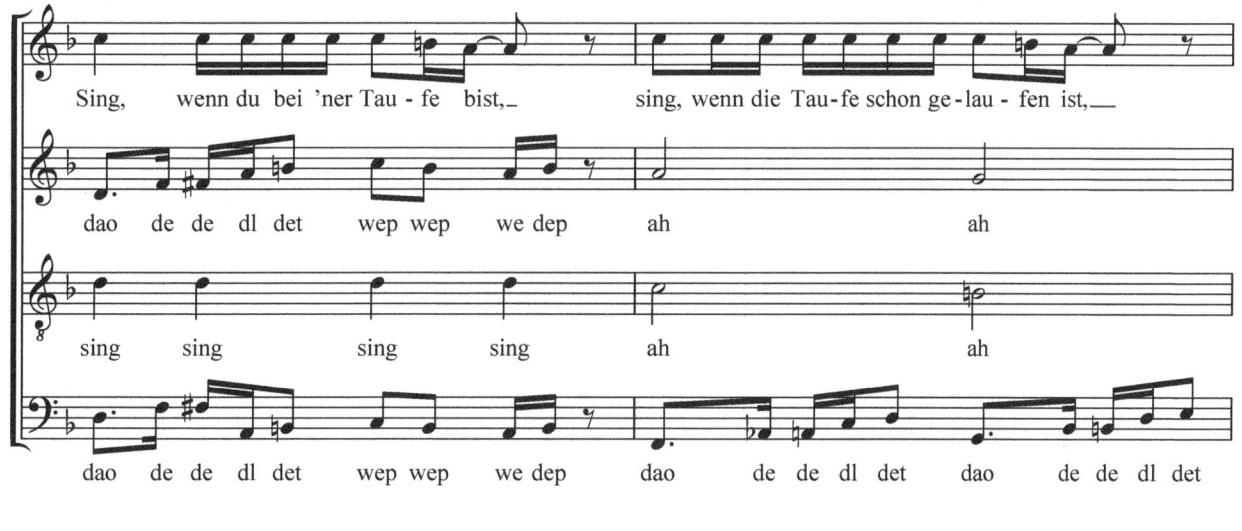

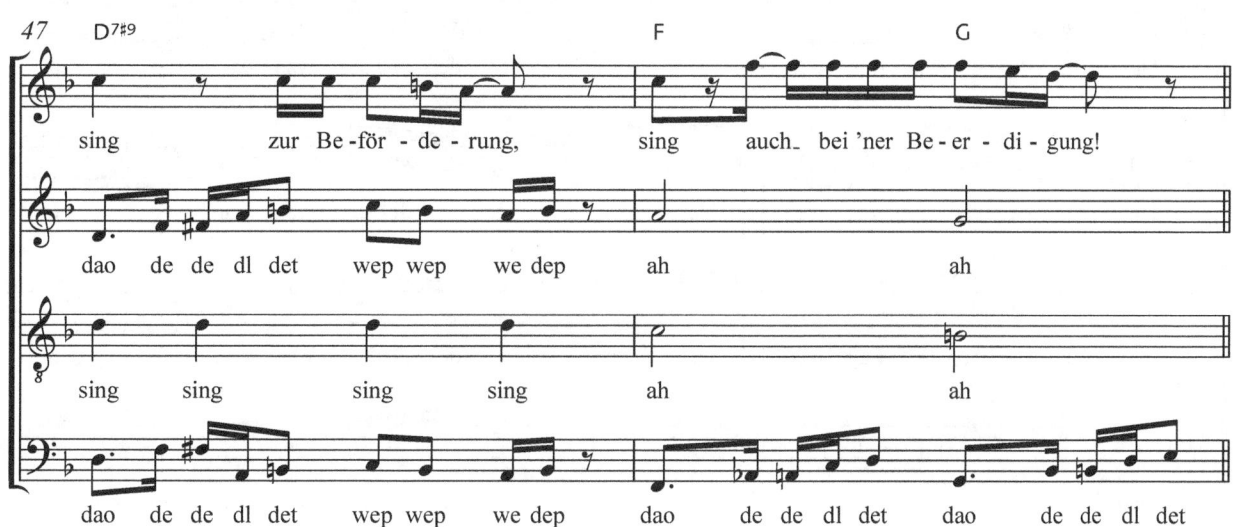

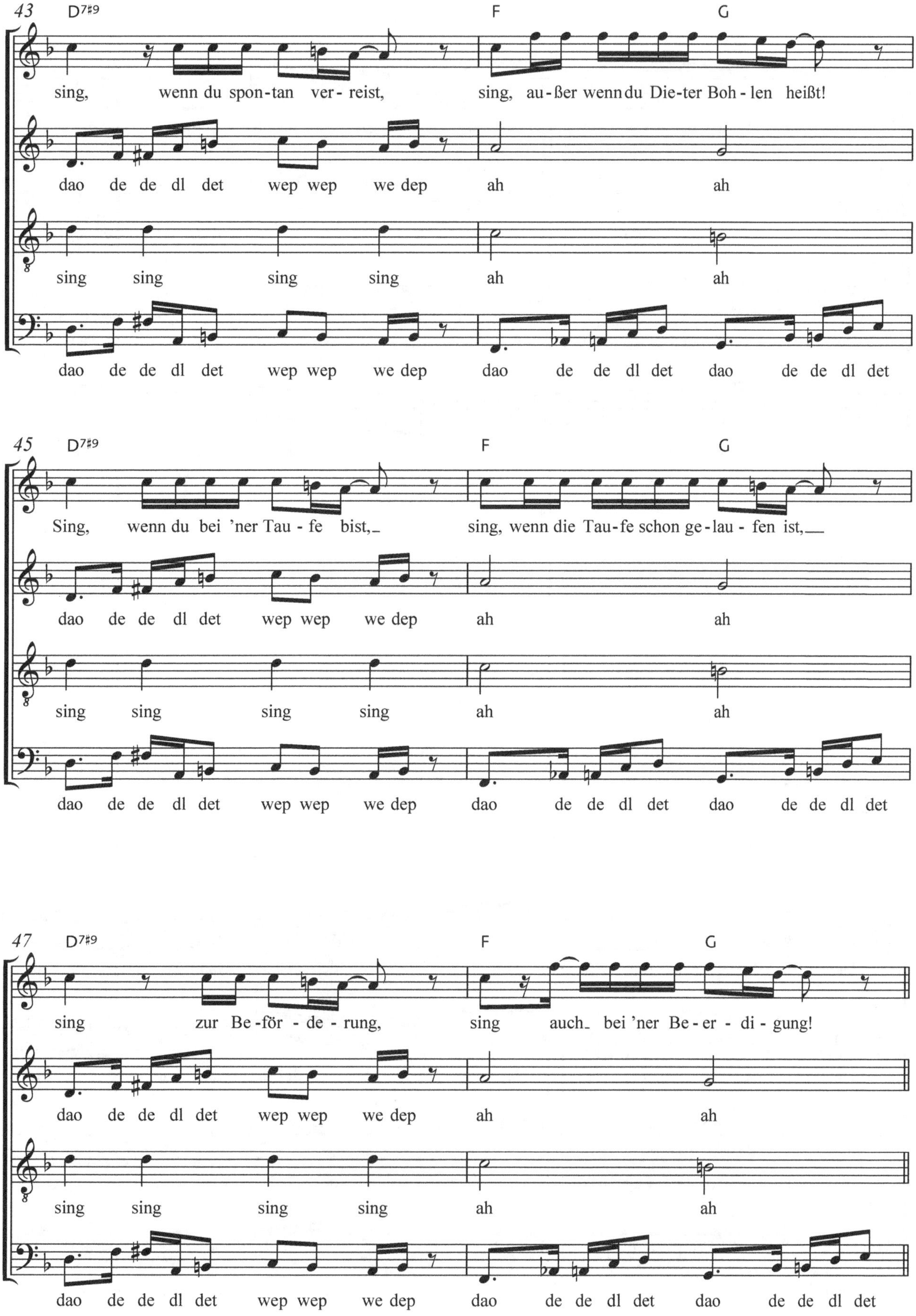

Sonnencremeküsse

Text und Musik: Daniel „Dän" Dickopf
Satz: Wolfgang Thierfeldt

16 Gm⁷ ... Am⁷ ... C

un-ver-stell-ter Blick vie-le Mei-len weit. Das ist un-se-re Zeit!_ Uh

un-ver-stell-ter Blick vie-le Mei-len weit. Das ist un-se-re Zeit!_ Uh_____

un-ver-stell-ter Blick vie-le Mei-len weit. Das ist un-se-re Zeit!_ Uh

dm   dm dm   dm   dm dm ke dm dm

Refrain

18 F ... C ... Gm ... B♭

Son-nen-creme-küs-se, Sand auf dei-ner Stirn, das Salz vom Meer auf dei-ner Haut. Dei-ne

Son-nen-creme-küs-se, Sand auf dei-ner Stirn, das Salz vom Meer auf dei-ner Haut. Kah

Son-nen-creme-küs-se, Sand auf dei-ner Stirn, das Salz vom Meer auf dei-ner Haut. Kah

dm   dm dm   dm   dm   dm   dm

20 F ... C ... Dm ... Cm⁷ F

Son-nen-creme-küs-se schme-cken nach mehr, völ-lig neu und völ-lig ver-traut._ Dei-ne

Son-nen-creme-küs-se schme-cken nach mehr, neu und völ-lig ver-traut._ Uh

Son-nen-creme-küs-se schme-cken nach mehr, neu und völ-lig ver-traut._ Uh

dm   dm dm   dm   dm   dm dm dm

22   B♭   F/A   Gm   B♭/C

Son-nen-creme-küs-se,   dei-ne Son-nen-creme-küs-se.___ Uh_____ Das Bi-

Son-nen-creme-küs-se, la la la la la Son-nen-creme-küs-se. La la la___ Das Bi-

Son-nen-creme-küs-se, la la la la la Son-nen-creme-küs-se. La la la___ Das Bi-

dm   dm dm   dm   dm   dm dm___

Strophe 2

25   F   C   Gm   B♭

-ki-ni-Top hast du wie-der weg-ge-las-sen._ Ich ver-such' zu le - sen, doch na-tür-lich muss ich pas-sen. Ich

ki-ni-Top hast du wie-der weg-ge-las-sen._ Ich ver-such' zu le - sen, doch na-tür-lich muss ich pas-sen. Ich

-ki-ni-Top hast du wie-der weg-ge-las-sen._ Ich ver-such' zu le - sen, doch na-tür-lich muss ich pas-sen. Ich

dm   dm   dm   dm   dm   dm

27   F   C   Gm   B♭

schie-le zu dir rü - ber___ und bin völ-lig ver-lor'n.___ Uh___ dib   dib

schie-le zu dir rü - ber___ und bin völ-lig ver-lor'n.___ Uh___ dib   dib

schie-le zu dir rü - ber___ und bin völ-lig ver-lor'n.___ Uh___ dib   dib

dm   dm dm   dm   dm dm

29 | F ... C ... Gm ... Bb

Die frem-de Spra-che, die ich könn-te – je-de Wet-te! –, wenn ich in der Schu-le bes-ser auf-ge-passt hät-te,

Die frem-de Spra-che, die ich könn-te – je-de Wet-te! –, wenn ich in der Schu-le bes-ser auf-ge-passt hät-te,

Die frem-de Spra-che, die ich könn-te – je-de Wet-te! –, wenn ich in der Schu-le bes-ser auf-ge-passt hät-te,

dm   dm dm   dm   dm dm

31 | F ... C ... Gm ... Bb

klingt auf ein-mal wie Mu-sik in mei-nen Ohr'n.__ Uh_____

klingt auf ein-mal wie Mu-sik in mei-nen Ohr'n.__ Uh_____

klingt auf ein-mal wie Mu-sik in mei-nen Ohr'n.__ Uh_____

dm   dm dm   dm   dm dm

33 | Gm⁷ ... Am⁷ ... Eb ... Dm

Uns-re schö-ne Burg, in den Sand ge-baut, hat die Flut ge-klaut. Uns wird's am Strand zu laut.

Uns-re schö-ne Burg, in den Sand ge-baut, hat die Flut ge-klaut. Uns wird's am Strand zu laut.

Uns-re schö-ne Burg, in den Sand ge-baut, hat die Flut ge-klaut. Uns wird's am Strand zu laut.

dm   dm dm   dm   dm

35 Gm⁷ · · · · · · · · · · · · · Am⁷ · · · · · · C

A - ber zu den Dü - nen   ist es nicht weit.   Das ist   un - se - re   Zeit!   Uh

A - ber zu den Dü - nen   ist es nicht weit.   Das ist   un - se - re   Zeit!   Uh

A - ber zu den Dü - nen   ist es nicht weit.   Das ist   un - se - re   Zeit!   Uh

dm   dm dm   dm   dm dm ke dm dm

Refrain

37 F · · · · · · · C · · · · · · · Gm · · · · · · Bb

Son - nen - creme - küs - se,   Sand auf dei - ner Stirn,   das Salz vom Meer   auf dei - ner Haut.   Dei - ne

Son - nen - creme - küs - se,   Sand auf dei - ner Stirn,   das Salz vom Meer   auf dei - ner Haut.   Kah

Son - nen - creme - küs - se,   Sand auf dei - ner Stirn,   das Salz vom Meer   auf dei - ner Haut.   Kah

dm   dm dm   dm   dm   dm   dm

39 F · · · · · · · C · · · · · · · Dm · · · · · · Cm⁷ F

Son - nen - creme - küs - se   schme - cken nach mehr,   völ - lig neu und völ - lig ver - traut.   Dei - ne

Son - nen - creme - küs - se   schme - cken nach mehr,   neu und völ - lig ver - traut.   Uh

Son - nen - creme - küs - se   schme - cken nach mehr,   neu und völ - lig ver - traut.   Uh

dm   dm dm   dm   dm   dm   dm dm

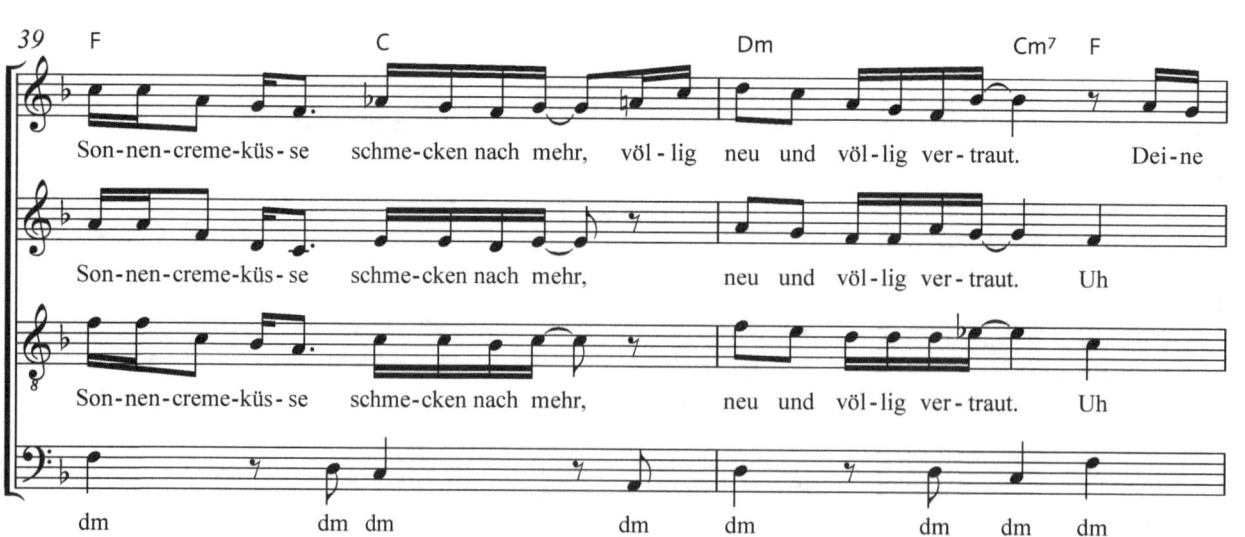

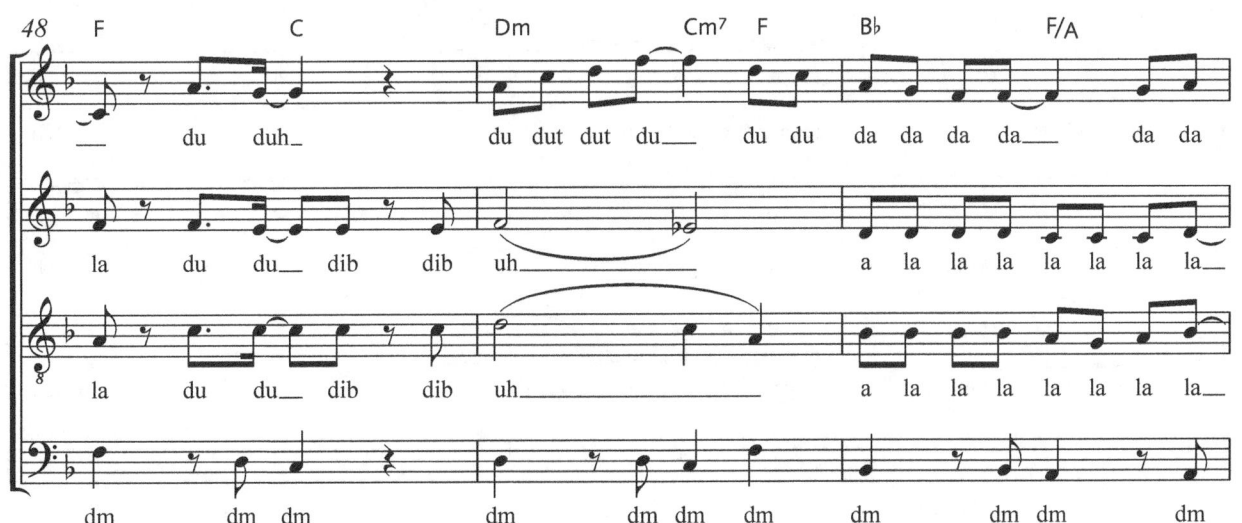

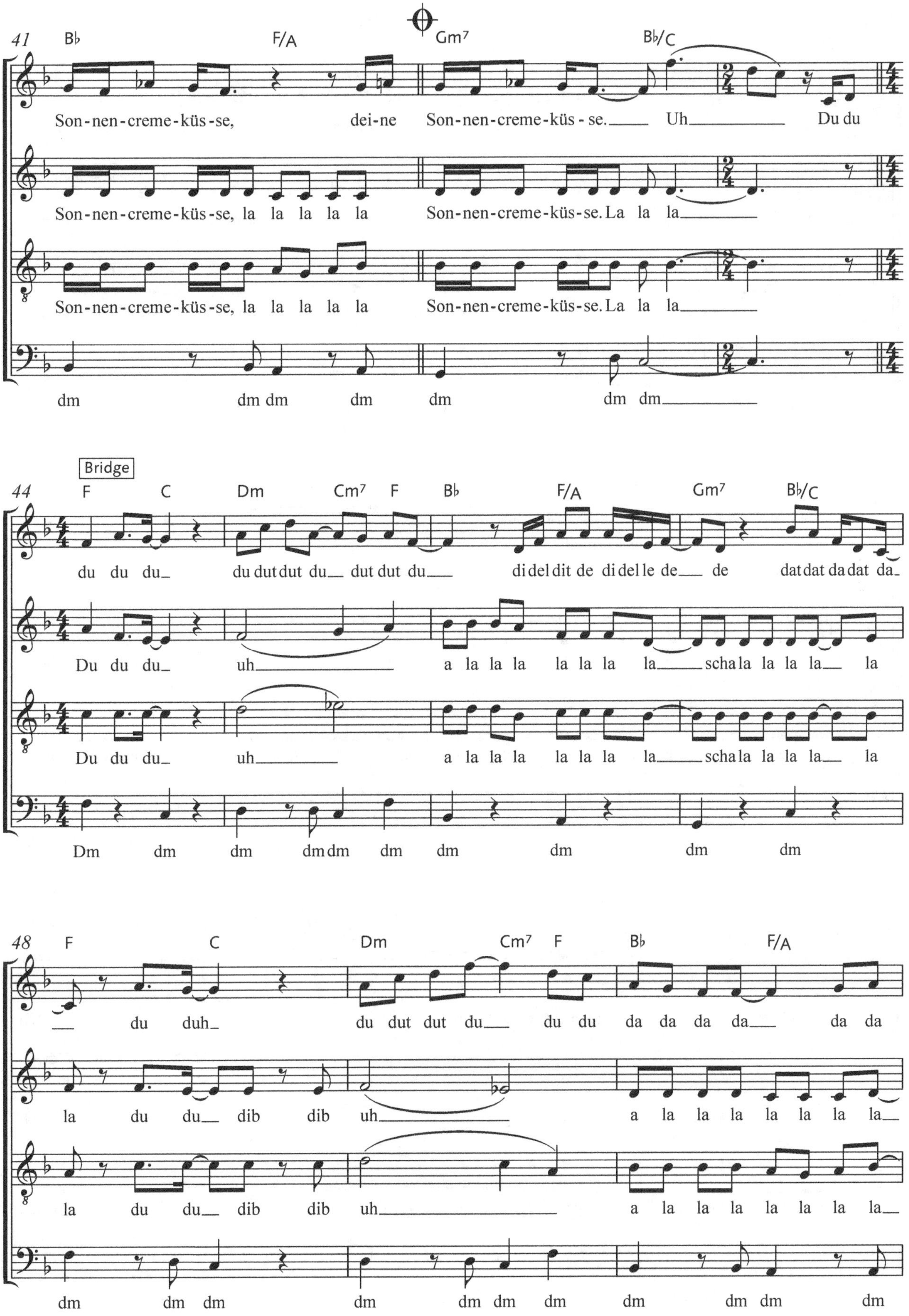
41
B♭ F/A Gm7 B♭/C
Son-nen-creme-küs-se, dei-ne Son-nen-creme-küs-se. Uh Du du
Son-nen-creme-küs-se, la la la la la Son-nen-creme-küs-se. La la la
Son-nen-creme-küs-se, la la la la la Son-nen-creme-küs-se. La la la
dm dm dm dm dm dm dm
Bridge
44
F C Dm Cm7 F B♭ F/A Gm7 B♭/C
du du du du dut dut du dut dut du di del dit de di del le de de dat dat da dat da
Du du du uh a la la la la la la la scha la la la la la
Du du du uh a la la la la la la la scha la la la la la
Dm dm dm dm dm dm dm dm dm dm
48
F C Dm Cm7 F B♭ F/A
du duh du dut dut du du du da da da da da da
la du du dib dib uh a la la la la la la la
la du du dib dib uh a la la la la la la la
dm dm dm dm dm dm dm dm dm dm dm

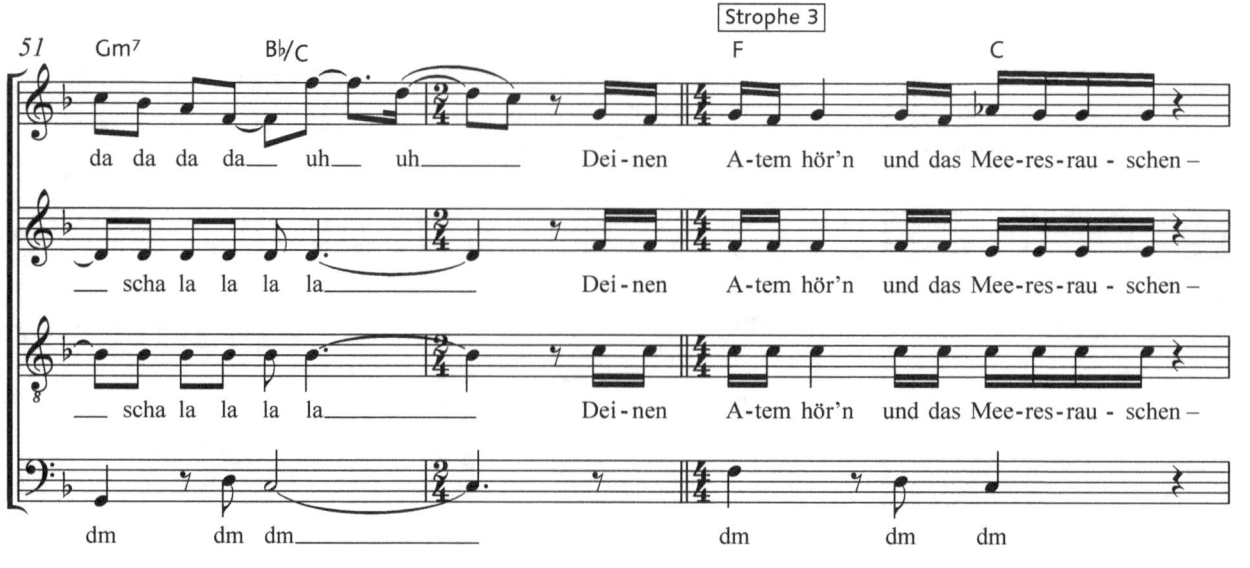

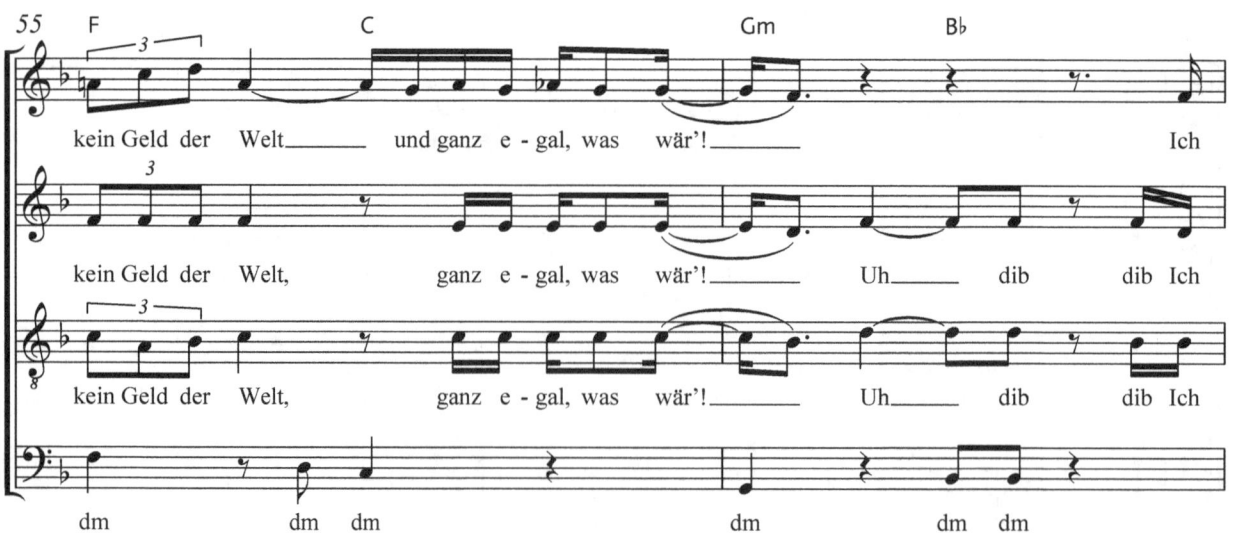

63 Gm⁷ · · · · · · · · · · · · Am⁷ · · C

Him-mel und den Strand und das Meer und den Sand und in dich ... und dei - ne

Him-mel und den Strand und das Meer und den Sand und in dich ... Uh_____

Him-mel und den Strand und das Meer und den Sand und in dich ... Uh_____

dm · · · dm dm · · dm · dm dm ke dm dm

D. S. al ⊕ - ⊕

⊕ Ende

65 Gm⁷ · · · · B♭/C · · · B♭ · · · F/A

Son-nen-creme-küs-se, dei - ne Son-nen-creme-küs-se, dei - ne

Son-nen-creme-küs-se, la la la_____ Son-nen-creme-küs-se, la la la la la

Son-nen-creme-küs-se, la la la_____ Son-nen-creme-küs-se, la la la la la

dm · · dm dm · dm · dm · · dm dm · dm

poco rit.

67 Gm⁷ · · · · · B♭/C · · ·

Son - nen - creme - küs - se. Uh hu hu_____

Son - nen - creme - küs - se. La la la_____

Son - nen - creme - küs - se. La la la_____

dm · · dm dm_____

Das Leben ist zu kurz

Text und Musik: Daniel „Dän" Dickopf
Satz: Wolfgang Thierfeldt

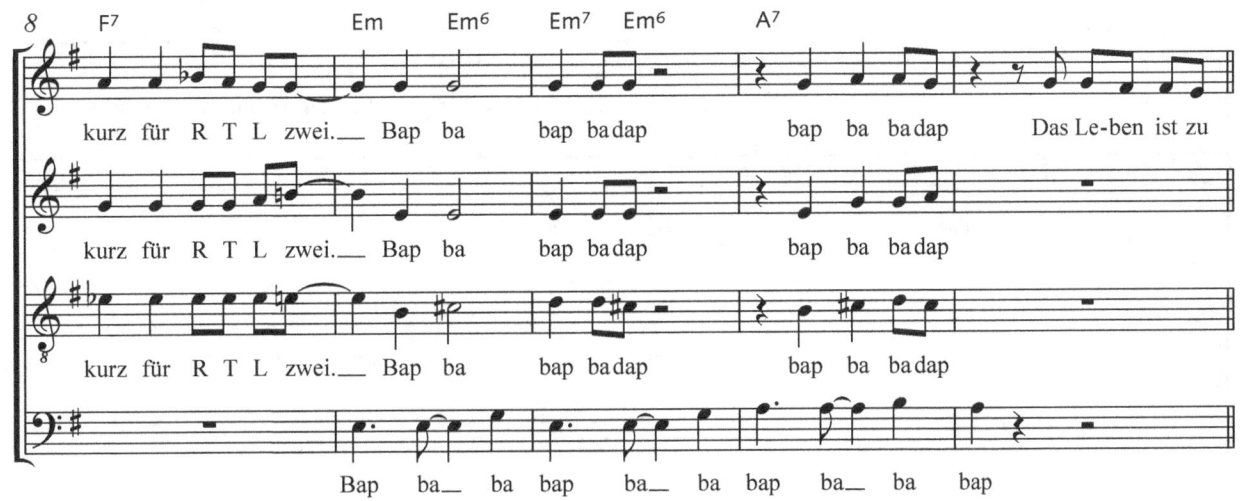

Sopran: Das Le-ben ist zu kurz für schlech-te Mu-sik,__ zu kurz für Be-zie-hungs-stress und blö-den Psy-cho-krieg. Das Le-ben ist zu kurz für dum-me La-be-rei, das Le-ben ist zu kurz für R T L zwei.__ Bap ba bap ba dap bap ba ba dap Das Le-ben ist zu

Alt: Das Le-ben ist zu kurz für schlech-te Mu-sik,__ zu kurz für Be-zie-hungs-stress und blö-den Psy-cho-krieg. Das Le-ben ist zu kurz für dum-me La-be-rei, das Le-ben ist zu kurz für R T L zwei.__ Bap ba bap ba dap bap ba ba dap

Tenor: Das Le-ben ist zu kurz für schlech-te Mu-sik,__ zu kurz für Be-zie-hungs-stress und blö-den Psy-cho-krieg. Das Le-ben ist zu kurz für dum-me La-be-rei, das Le-ben ist zu kurz für R T L zwei.__ Bap ba bap ba dap bap ba ba dap

Bass: Bap ba__ ba bap ba__ ba bap ba__ ba bap

*) oder Tenor

148

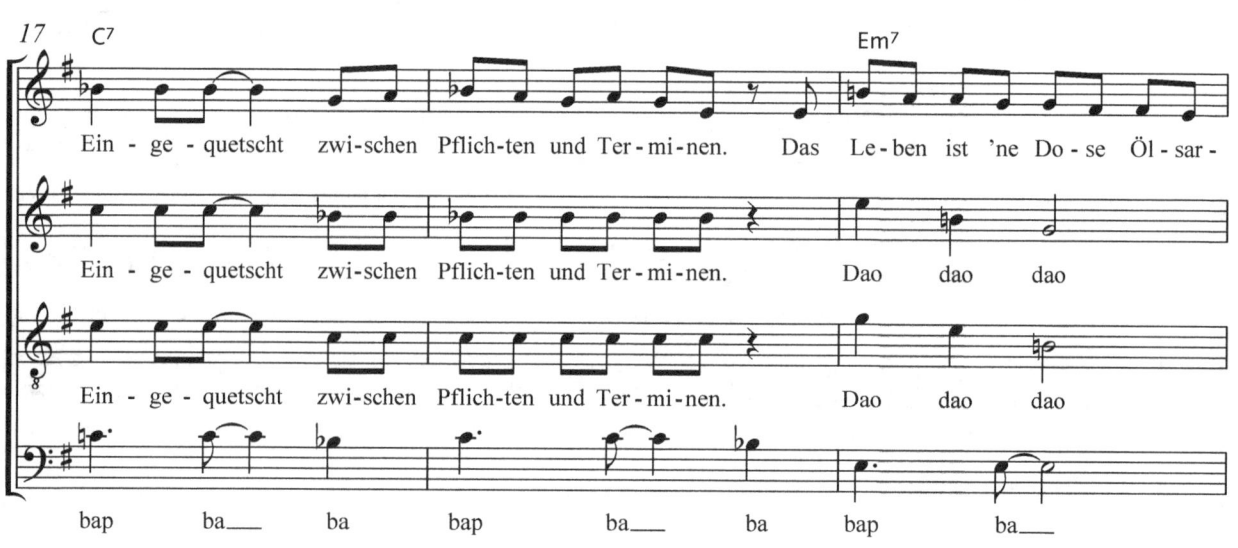

23 A⁷ ... C⁷

ein-fach ver - liert.__ Es gibt ganz be - stimmt we - ni - ger Sach-en, die man im-mer schon mal

bap ba bap bap ba dap bap ba

bap ba bap bap ba dap bap ba

bap ba__ ba bap ba__ ba bap ba__ ba

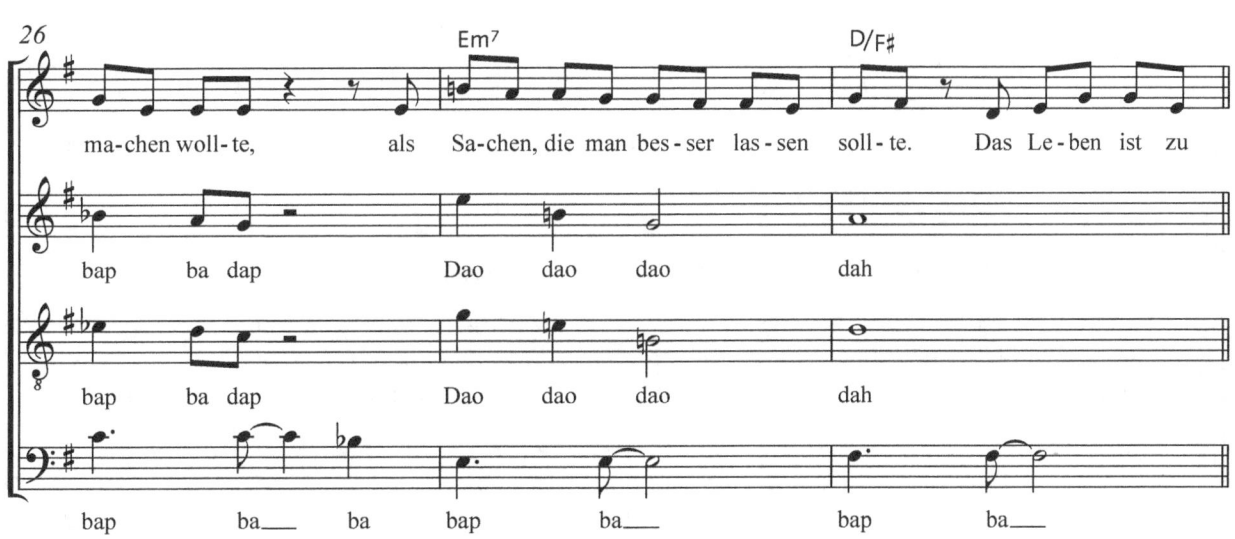

26 Em⁷ ... D/F♯

ma-chen woll-te, als Sa-chen, die man bes-ser las-sen soll-te. Das Le-ben ist zu

bap ba dap Dao dao dao dah

bap ba dap Dao dao dao dah

bap ba__ ba bap ba__ bap ba__

29 Refrain G ... F

kurz für schlech-te Mu - sik__ zu kurz für Be - zie-hungs-stress und blö-den Psy-cho-

kurz für schlech-te Mu - sik,__ zu kurz für Be - zie-hungs-stress und blö-den Psy-cho-

kurz für schlech-te Mu - sik,__ zu kurz für Be - zie-hungs-stress und blö-den Psy-cho-

bao bao bap ba__ ba bao bao bap ba

152

61 A⁷/⁹ F⁷ Em⁷ A⁷/E G

Das Le-ben ist zu kurz, um stän-dig auf die Uhr zu schau'n. Bap ba ba dap Das Le-ben ist zu

Das Le-ben ist zu kurz, um stän-dig auf die Uhr zu schau'n. Bap ba ba dap Das Le-ben ist zu

Das Le-ben ist zu kurz, um stän-dig auf die Uhr zu schau'n. Bap ba ba dap Das Le-ben ist zu

bap ba_ ba bao bao bap ba_ ba bap

Mittelteil

65 C G D

kurz für Trenn-kost und Di - ät — bis du die Top-fi - gur hast, ist schon al-les zu spät.__ Das Le-ben ist zu

kurz für Trenn-kost und Di - ät — bis du die Top-fi - gur hast, ist schon al-les zu spät.__ Das Le-ben ist zu

kurz für Trenn-kost und Di - ät — bis du die Top-fi - gur hast, ist schon al-les zu spät.__ Das Le-ben ist zu

69 A⁷ G/B D

kurz für ex - zes - si - ve Pla-cke - rei, kaum hast du'n Haus mit Gar-ten, ist es wie-der vor-bei.

kurz für ex - zes - si - ve Pla-cke - rei, kaum hast du'n Haus mit Gar-ten, ist es wie-der vor-bei.

kurz für ex - zes - si - ve Pla-cke - rei, kaum hast du'n Haus mit Gar-ten, ist es wie-der vor-bei.

Bam bam bam bam bam bam bao bao ba ba da bao_

Refrain + Coda

72

G

Das Le-ben ist zu kurz für schlech-te Mu-sik,___ zu kurz für Be-

Das Le-ben ist zu kurz für schlech-te Mu-sik,___ zu kurz für Be-

Das Le-ben ist zu kurz für schlech-te Mu-sik,___ zu kurz für Be-

Bao bao bap ba___ ba

75   F   C   Em⁷

-zie-hungs-stress und blö-den Psy-cho-krieg.   Komm mal wie-der raus, bleib nicht im-mer zu Haus,_

-zie-hungs-stress und blö-den Psy-cho-krieg.   Komm mal wie-der raus, bleib nicht im-mer zu Haus,_

-zie-hungs-stress und blö-den Psy-cho-krieg.   Komm mal wie-der raus, bleib nicht im-mer zu Haus,_

bao   bao   bap ba bap ba___ ba   bao bao   ba

78   A⁷ᐟ⁹   F⁷   C   D

— hockst du dau-ernd vor dem O-fen, ist das Feu-er schnel-ler aus.   Das Le-ben ist zu

— hockst du dau-ernd vor dem O-fen, ist das Feu-er schnel-ler aus.

— hockst du dau-ernd vor dem O-fen, ist das Feu-er schnel-ler aus.

bap ba___ ba bao bao   bam bam bam bam

81 G   F

kurz für schlech-te Mu- sik, ____ zu kurz für Be - zie-hungs-stress und blö-den Psy-cho-

Das Le - ben ist zu kurz für schle-chte Mu - sik, ____ zu kurz für Psy-cho-

Das Le - ben ist zu kurz für schle-chte Mu - sik, ____ zu kurz für Psy-cho-

bao bao   bap ba___ ba bao bao bap ba

84 C   E⁷   A⁷/⁹   F⁷   G

-krieg, das Le-ben ist zu kurz für dum-me La-be-rei, das Le-ben ist zu kurz für R T L zwei.

-krieg, das Le-ben ist zu kurz für dum-me La-be-rei, das Le-ben ist zu kurz für R T L zwei.

-krieg, das Le-ben ist zu kurz für dum-me La-be-rei, das Le-ben ist zu kurz für R T L zwei.

bap ba___ ba bao bao ba bap ba___ ba bao ba_____ zwei.

Jetzt ist Sommer

Text und Musik: Daniel „Dän" Dickopf
Satz: Severin Geissler

27

Manch - mal, wenn ich das Wet - ter seh, krieg ich Ge - walt - fan - ta - sie'n, und die Wet - ter - fee__ wär' das

Uh_____

Uh_____

dum dum   dum dum   dum dum   dum dum

G   F   C

29

ers - te Op - fer mei - ner Ag - gres - sion,   ob - wohl ich weiß: Was bringt das schon,

Uh_____

Uh_____

dum dum   dum dum   dum dum   dum dum

G   F   C

31

wenn man sie beim Wort nimmt und sie zwingt, dass sie im Bi-ki-ni in die Nord-see springt? Ich

Uh_____

Uh_____

dum   dum   dum dum   dum   dum   dum dum

Eb   F   C   G

33

mach' mir lie-ber mei-ne eig'-ne Wet-ter-la-ge, wenn ich mir im-mer wie-der sa-ge: Jetzt ist

Uh_____

wenn ich mir im-mer wie-der sa-ge: Jetzt ist

Uh_____

wenn ich mir im-mer wie-der sa-ge: Jetzt ist

dum   dum   dum dum   wenn ich mir im-mer wie-der sa-ge: Jetzt ist

Eb   F   C   D

D. S. al ⊕ – ⊕

Mittelteil

35

Som-mer ist, wenn man trotz-dem lacht!

Som-mer ist, wenn man trotz-dem lacht! Ich bin

Som-mer ist, wenn man trotz-dem lacht! Ich bin sau-er, wenn mir ir-gend-wer mein Fahr-rad klaut.

snap fingers

Som-mer ist, wenn man trotz-dem lacht! dum dum *clap* dum dum

D⁷ G Gm⁷

37

Ich bin sau-er, wenn ein And-rer mei-ne Traum-frau kriegt, und am

sau-er, wenn mir ei-ner auf die Fres-se haut. Ich bin sau-er, wenn ein And-rer mei-ne Traum-frau kriegt, und am

Ich bin sau-er, wenn ein And-rer mei-ne Traum-frau kriegt, und am

dum dum   dum dum   dum dum   dum dum

39

Pool mit die-ser Frau auf mei-nem Hand-tuch liegt. Doch sonst nehm' ich al-les ziem-lich lo-cker hin,_ weil

Uh___

Pool mit die-ser Frau auf mei-nem Hand-tuch liegt.

Uh___

Pool mit die-ser Frau auf mei-nem Hand-tuch liegt.

dum dum   dum dum   dum dum   dum dum

C⁷   Eb   F

41

ich men-tal ein ab-so-lu-ter Zo-cker bin._ Ich drü-cke ein-fach auf den klei-nen grü-nen Knopf und die

Uh___

und die

Uh___

und die

dum dum   dum dum   dum dum   dum dum   und die

C   G   Eb   F

51

Som-mer ist, wenn man trotz-dem lacht! Scheiß aufs Wet-ter, e - gal, ob man friert:

Som-mer ist, wenn man trotz-dem lacht! Scheiß aufs Wet-ter, e - gal, ob man friert:

Som-mer ist, wenn man trotz-dem lacht! Scheiß aufs Wet-ter, e - gal, ob man friert:

Som-mer ist, wenn man trotz-dem lacht! Scheiß aufs Wet-ter, e - gal, ob man friert:

D⁷ G Em⁷ A⁷

53

Som-mer ist, was in dei-nem Kopf pas-siert!___ Es ist

Som-mer ist, was in dei-nem Kopf pas-siert!___ Es ist

Som-mer ist, was in dei-nem Kopf pas-siert!___ Es ist

Som-mer ist, was in dei-nem Kopf pas-siert!___ Es ist

D⁷ G

54

Som-mer! Ab ins Gum-mi - boot – der Win-ter hat ab so-fort Haus-ver-bot!

Som-mer! Ab ins Gum-mi - boot – der Win-ter hat ab so-fort Haus-ver-bot! Es ist

Som-mer! Ab ins Gum-mi - boot – der Win-ter hat ab so-fort Haus-ver-bot! Es ist

Som-mer! Ab ins Gum-mi - boot – der Win-ter hat ab so-fort Haus-ver-bot! Es ist

56

E -gal, ob man schwitzt o - der friert: Som-mer ist, was in dei-nem Kopf pas - siert!

Som-mer! E -gal, ob man schwitzt o - der friert: Som-mer ist, was in dei-nem Kopf pas - siert! Es ist

Som-mer! E -gal, ob man schwitzt o - der friert: Som-mer ist, was in dei-nem Kopf pas - siert! Es ist

Som-mer! E -gal, ob man schwitzt o - der friert: Som-mer ist, was in dei-nem Kopf pas - siert! Es ist

58

Ich hab das klar ge - macht: Som-mer ist, wenn man trotz - dem lacht!

Som - mer! Ich hab das klar ge - macht: Som-mer ist, wenn man trotz - dem lacht!

Som - mer! Ich hab das klar ge - macht: Som-mer ist, wenn man trotz - dem lacht!

Som - mer! Ich hab das klar ge - macht: Som-mer ist, wenn man trotz - dem lacht!

Em⁷　　　　　A⁷　　　　　D⁷　　　　　G

Showtime

Text und Musik: Daniel „Dän" Dickopf
Satz: Wolfgang Thierfeldt

175

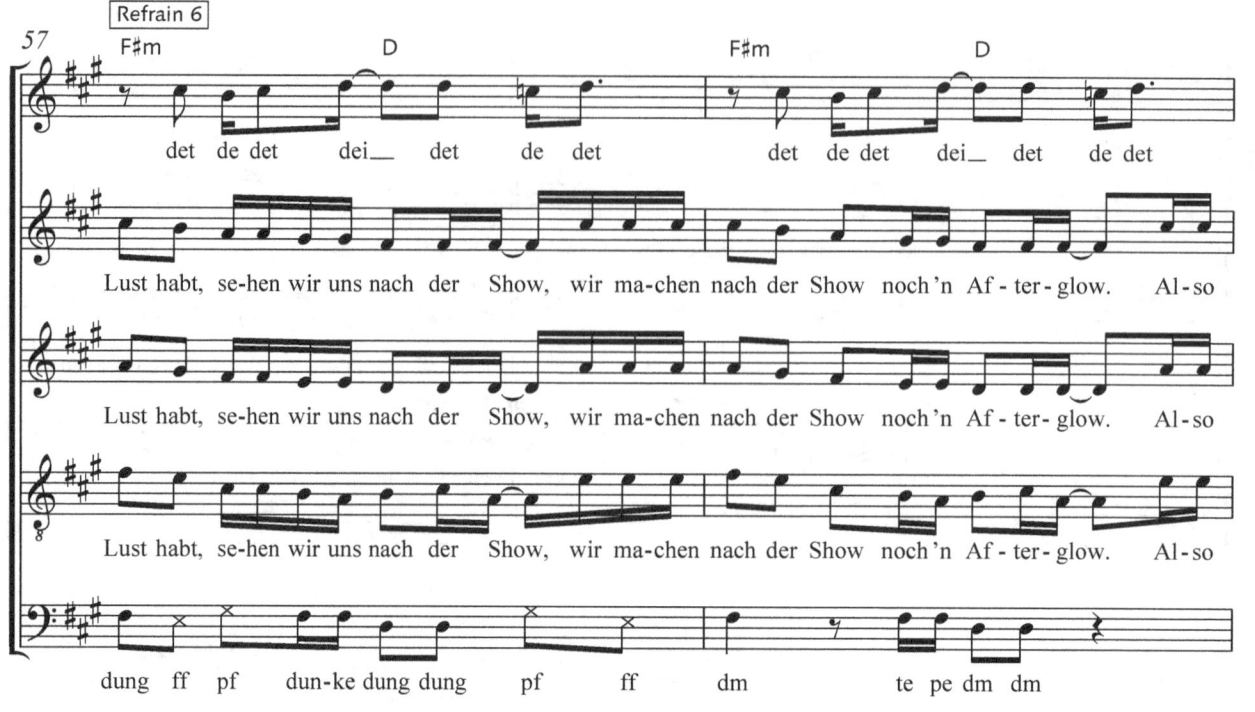

Mädchen lach doch mal

Text und Musik: Daniel „Dän" Dickopf
Satz: Severin Geissler

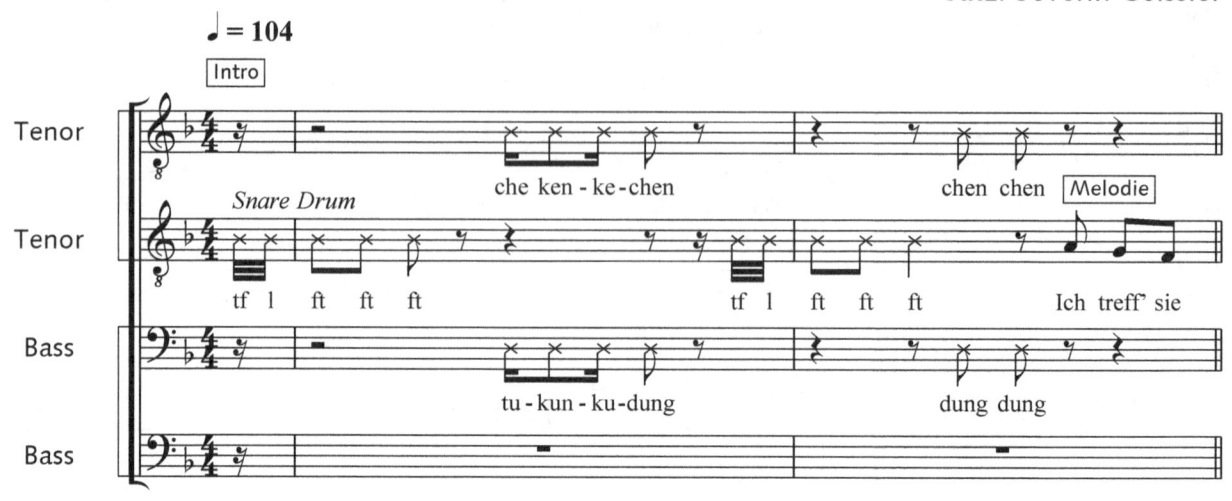

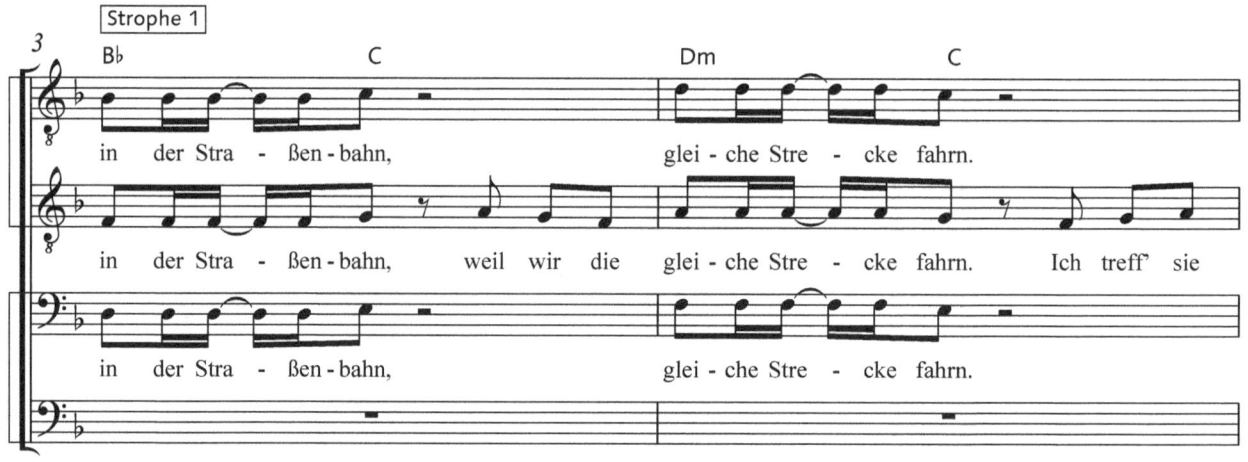

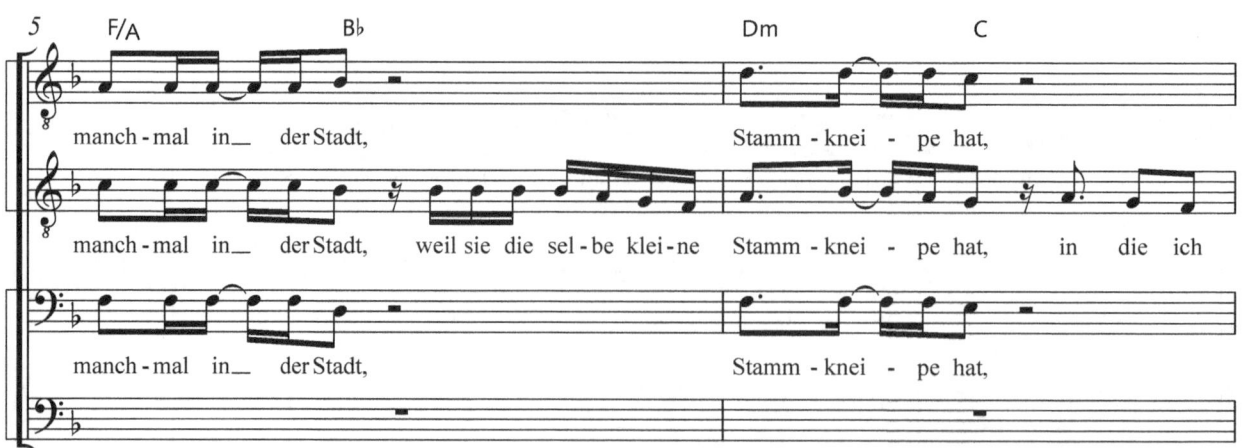

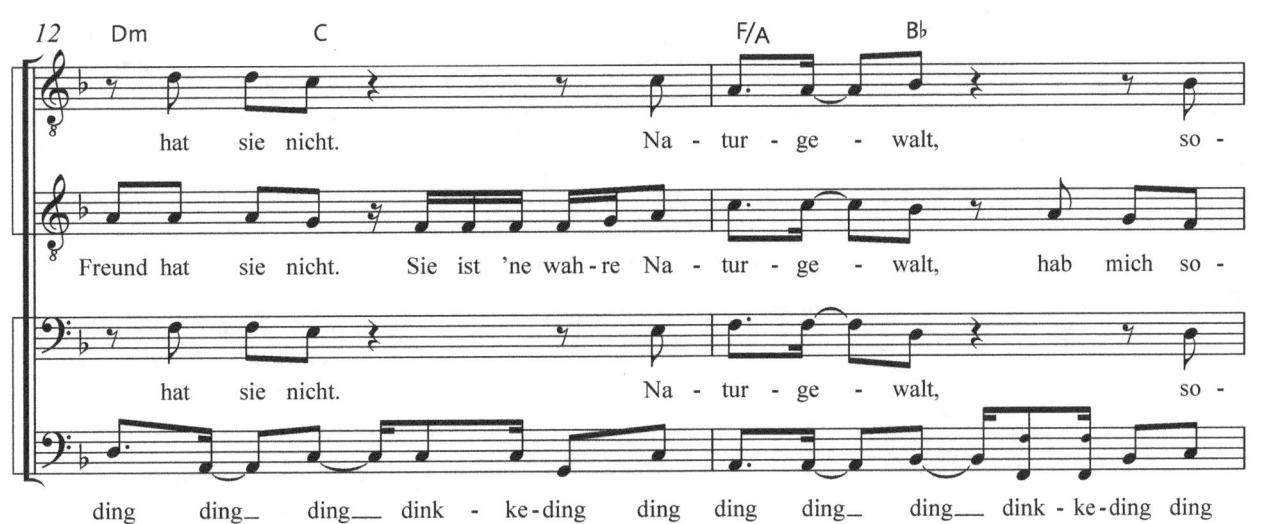

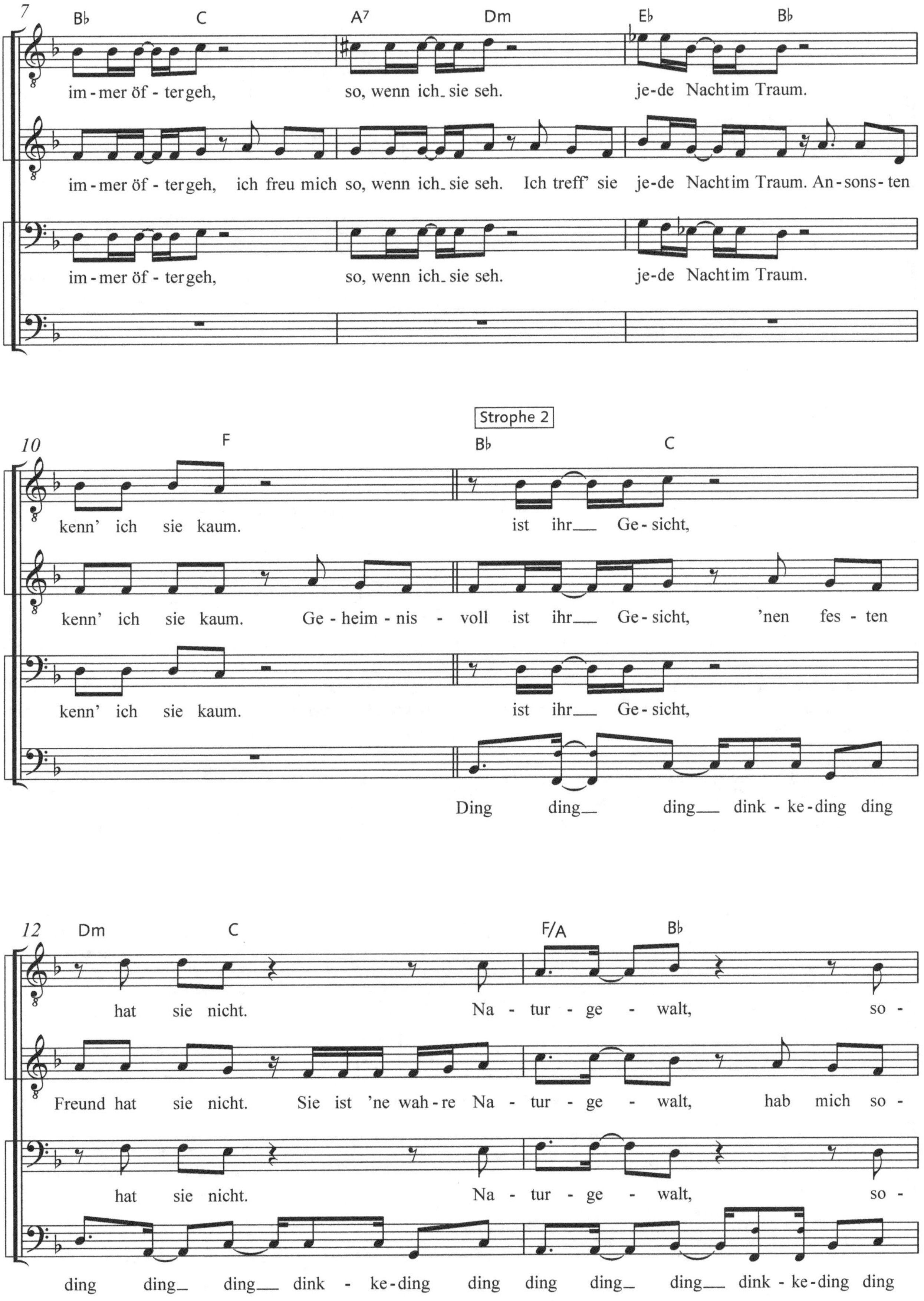
7
B♭ C A7 Dm E♭ B♭
im - mer öf - ter geh, so, wenn ich sie seh. je-de Nacht im Traum.
im - mer öf - ter geh, ich freu mich so, wenn ich sie seh. Ich treff' sie je-de Nacht im Traum. An - sons - ten
im - mer öf - ter geh, so, wenn ich sie seh. je-de Nacht im Traum.
Strophe 2
10
F B♭ C
kenn' ich sie kaum. ist ihr Ge - sicht,
kenn' ich sie kaum. Ge - heim - nis - voll ist ihr Ge - sicht, 'nen fes - ten
kenn' ich sie kaum. ist ihr Ge - sicht,
Ding ding ding dink - ke - ding ding
12
Dm C F/A B♭
hat sie nicht. Na - tur - ge - walt, so -
Freund hat sie nicht. Sie ist 'ne wah - re Na - tur - ge - walt, hab mich so -
hat sie nicht. Na - tur - ge - walt, so -
ding ding ding dink - ke - ding ding ding ding ding dink - ke - ding ding

184

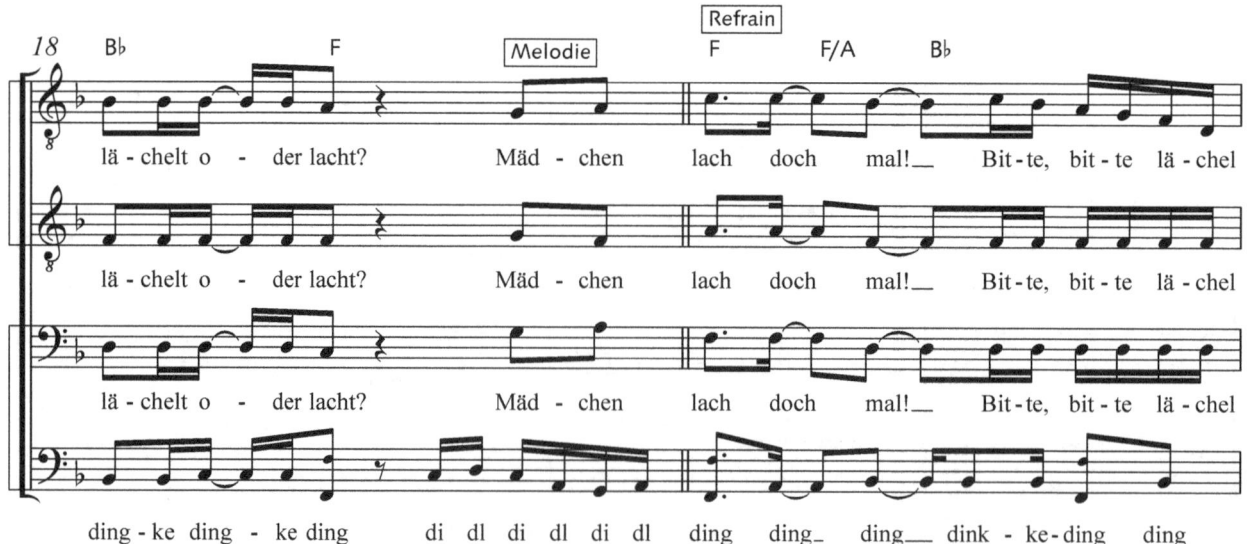

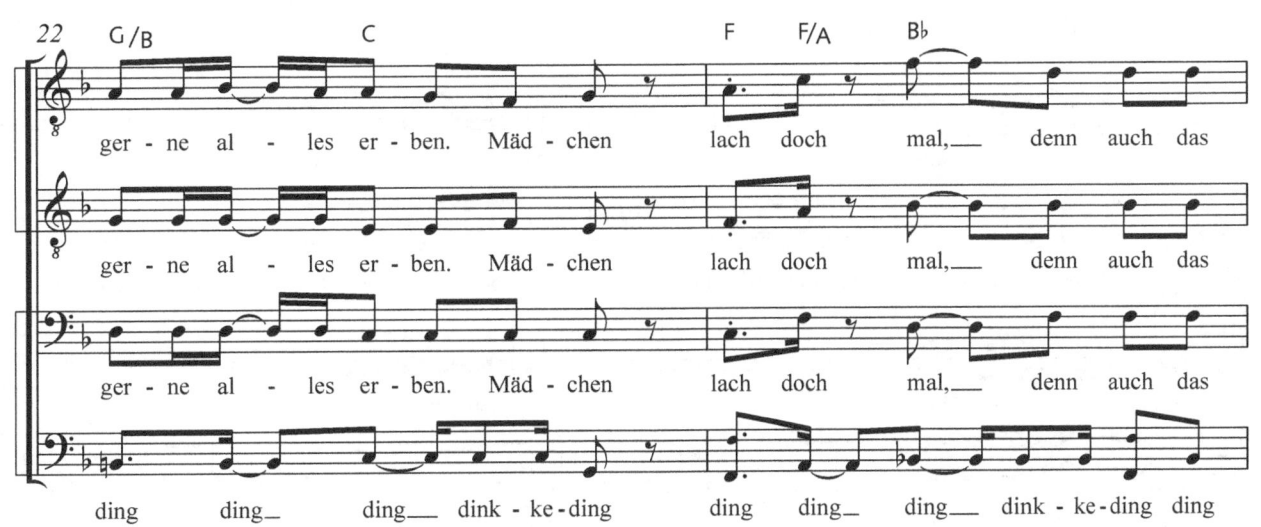

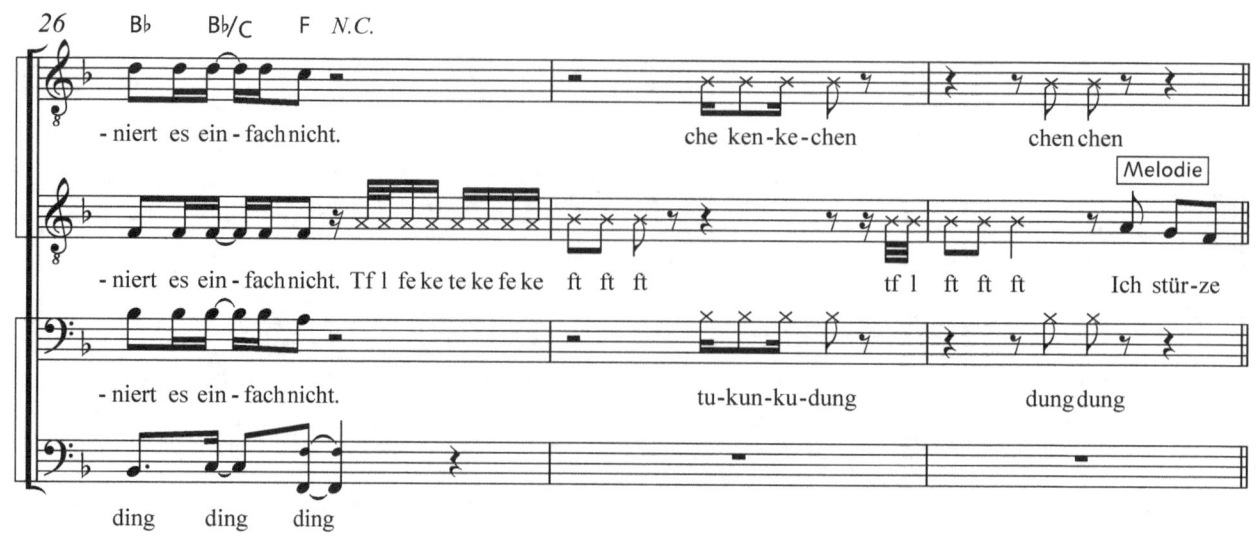

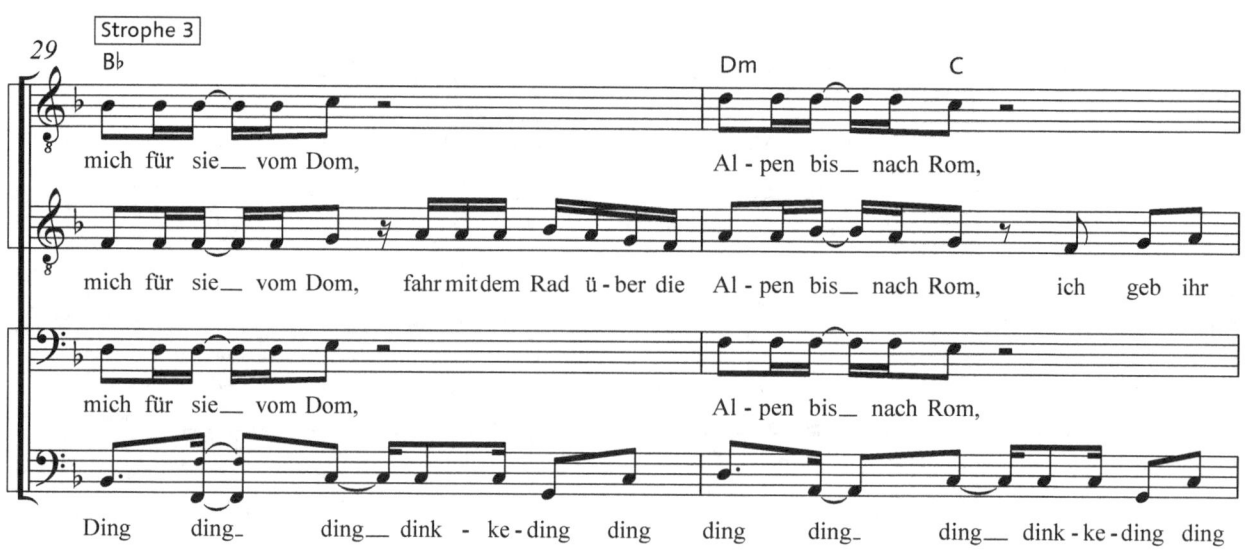

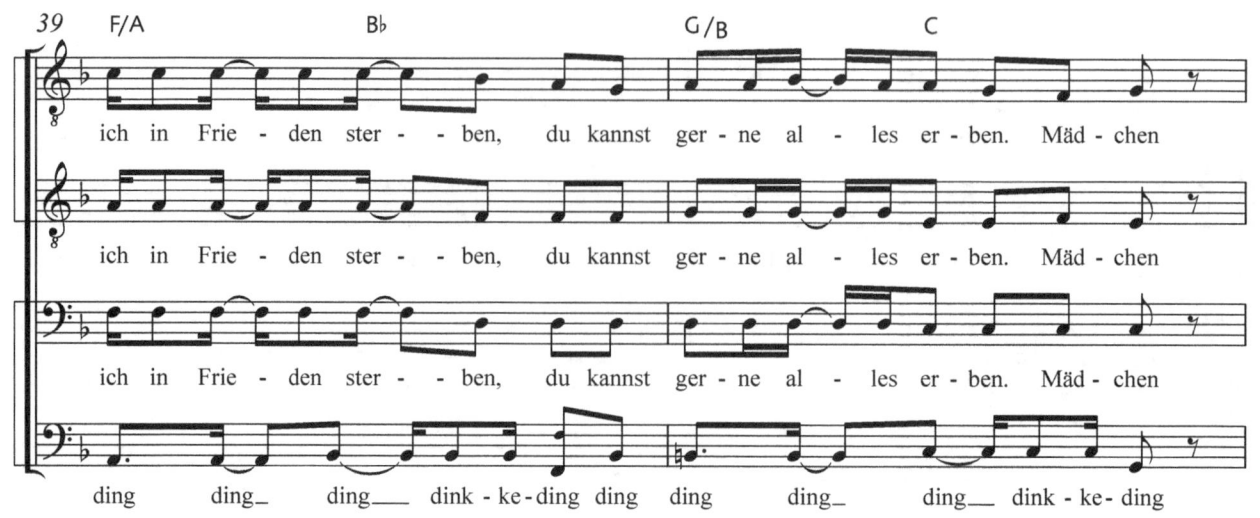

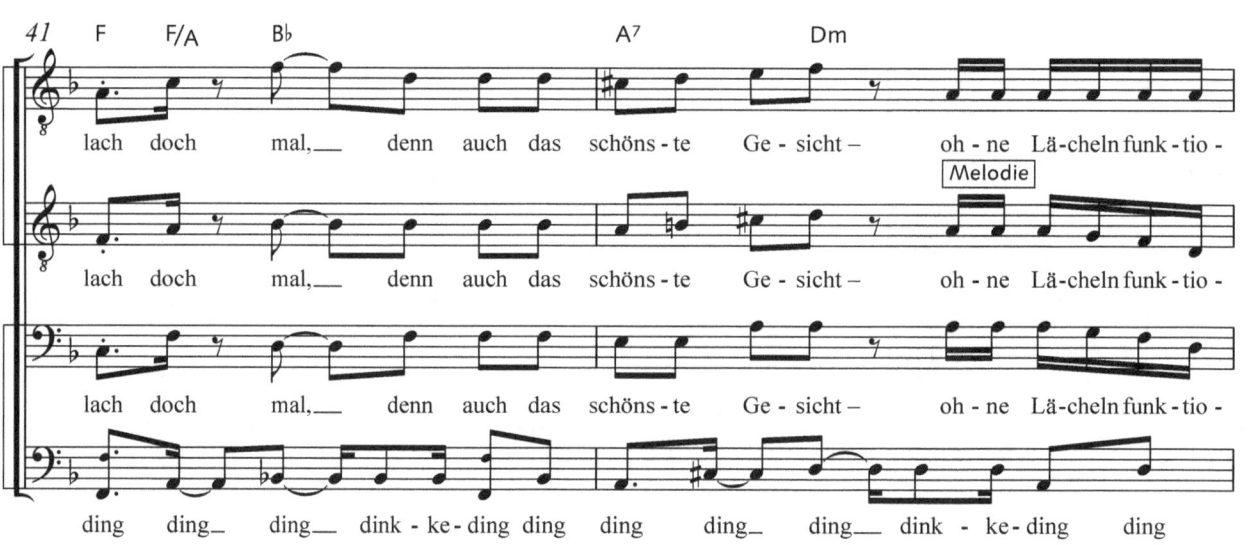

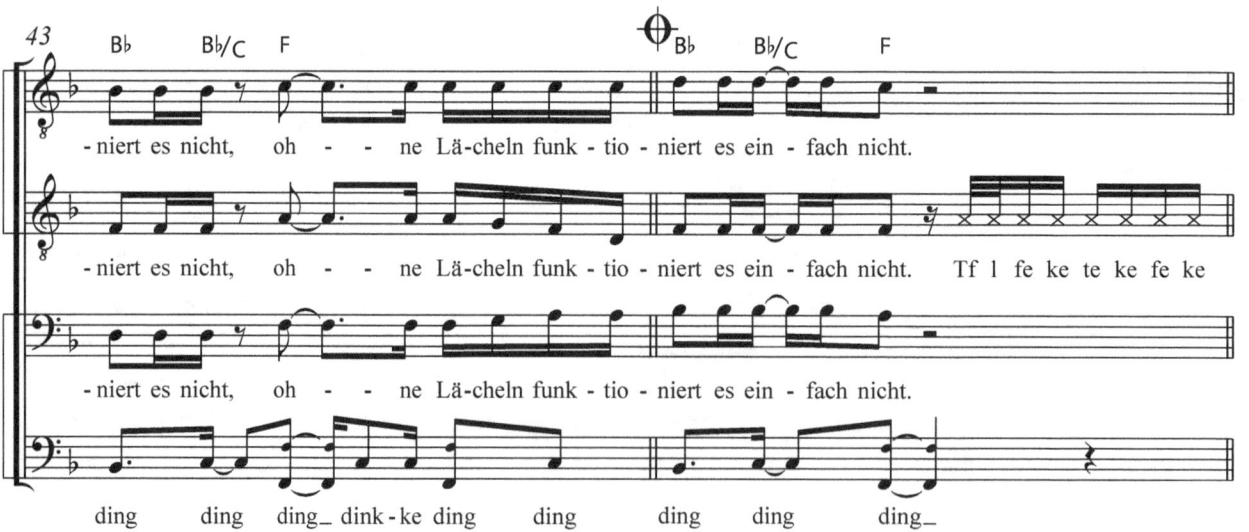

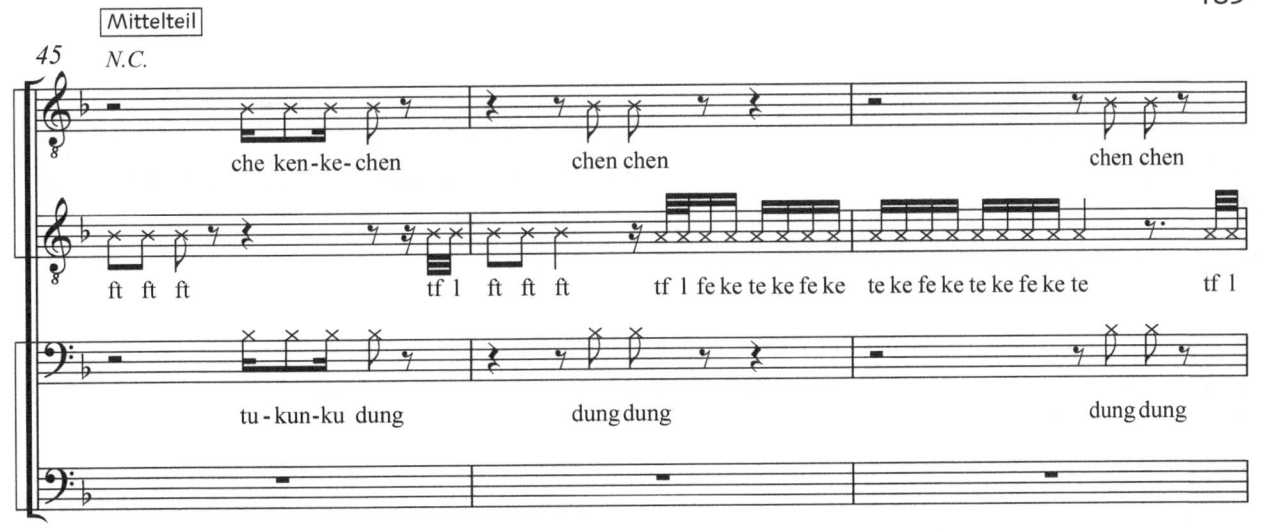

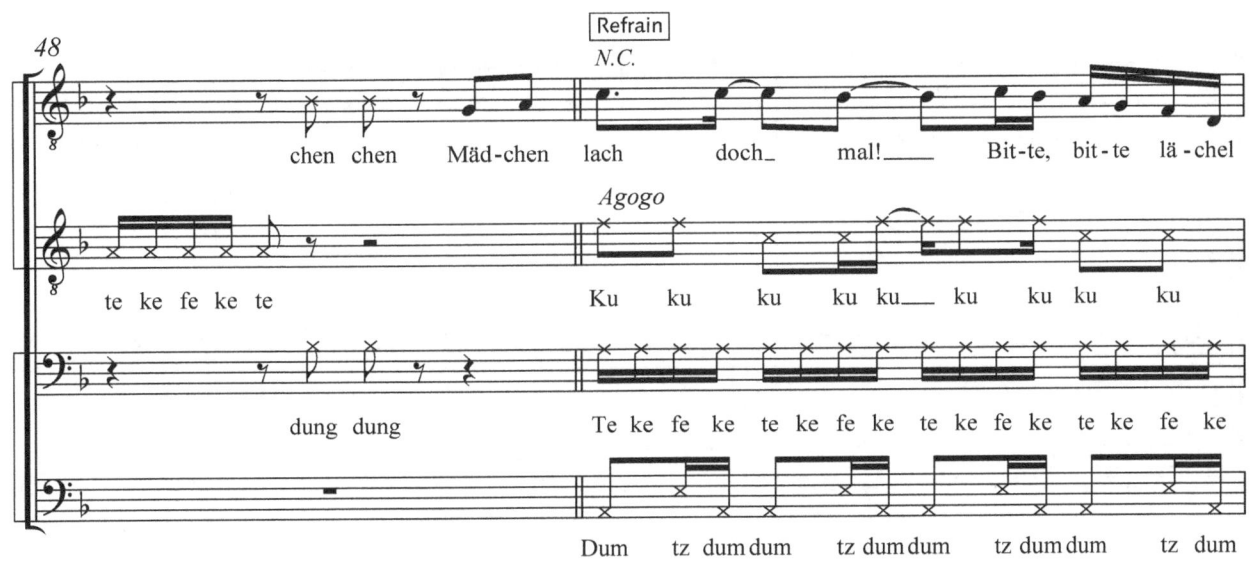

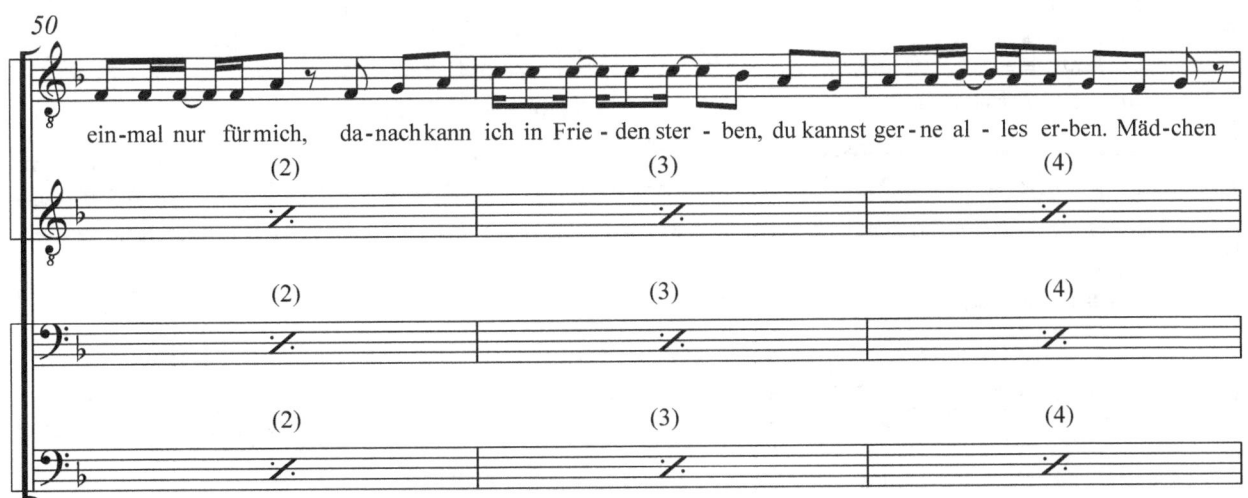

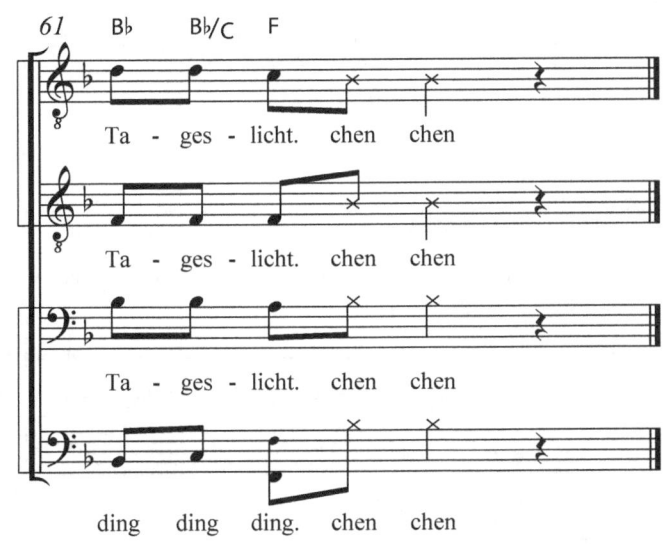

Mögliche Begleitpatterns

Probier's mal mit 'nem Bass

Text und Musik: Daniel „Dän" Dickopf
Satz: Severin Geissler

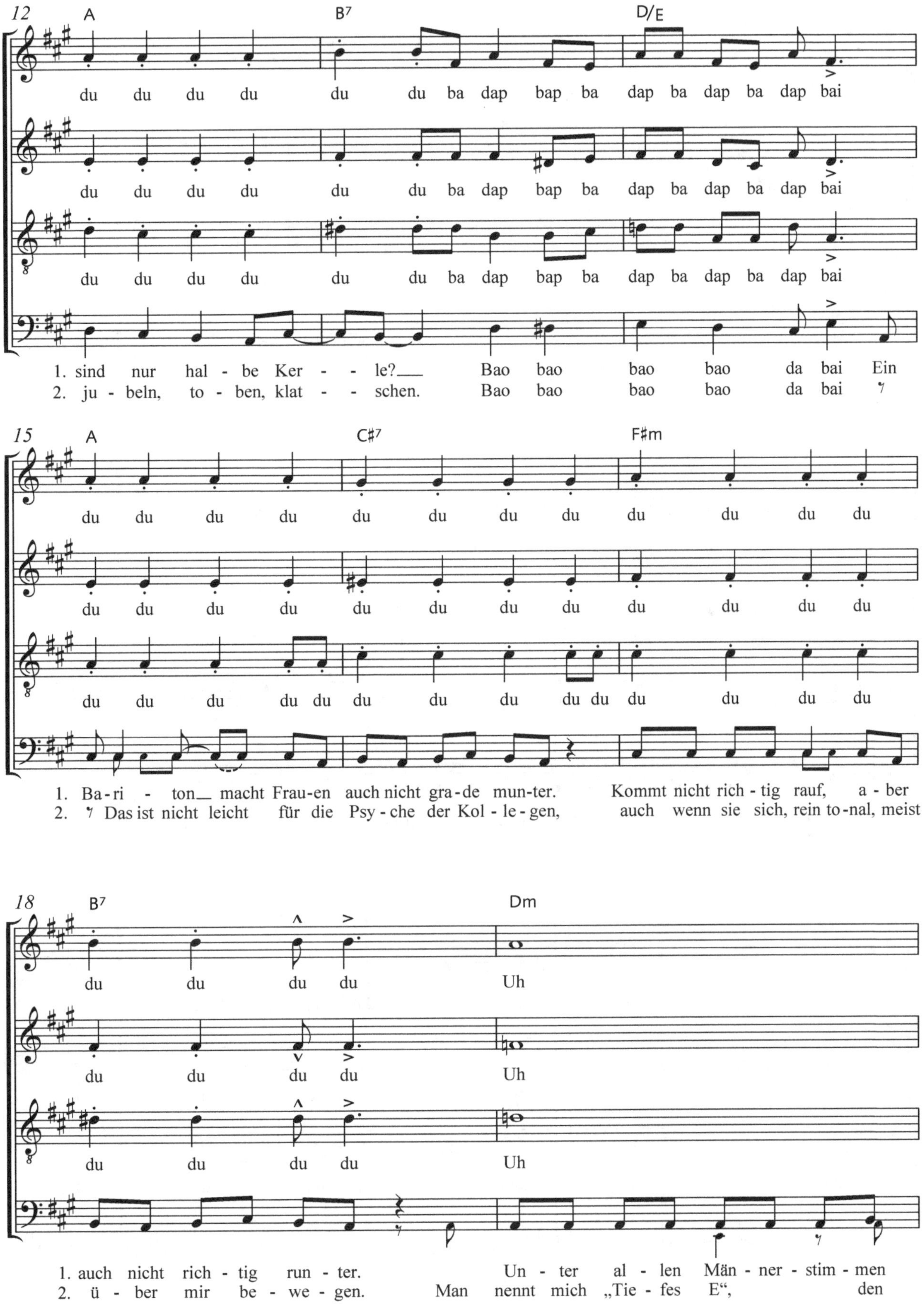

12
A
B7
D/E
du du du du du du ba dap bap ba dap ba dap ba dap bai
1. sind nur hal - be Ker - - le? Bao bao bao bao da bai Ein
2. ju - beln, to - ben, klat - - schen. Bao bao bao bao da bai
15
A
C♯7
F♯m
du du du du du du du du du du du du
du du du du du du du du du du du du
du du du du du du du du du du du du du du
1. Ba - ri - ton macht Frau-en auch nicht gra - de mun-ter. Kommt nicht rich - tig rauf, a - ber
2. Das ist nicht leicht für die Psy - che der Kol - le - gen, auch wenn sie sich, rein to - nal, meist
18
B7
Dm
du du du du Uh
du du du du Uh
du du du du Uh
1. auch nicht rich - tig run - ter. Un - ter al - len Män - ner - stim - men
2. ü - ber mir be - we - gen. Man nennt mich „Tie - fes E“, den

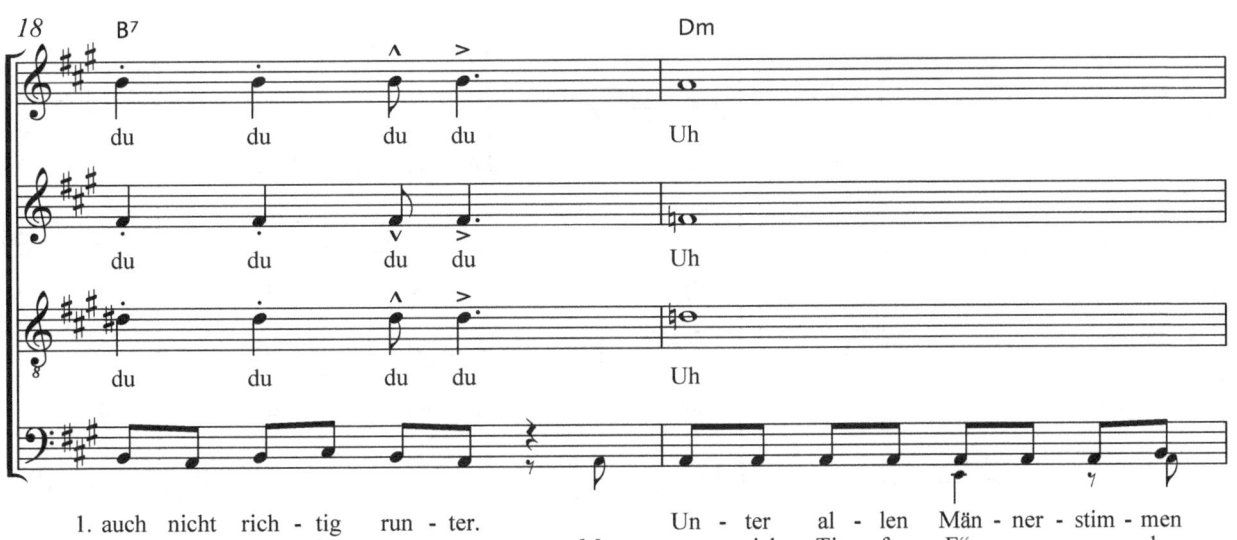

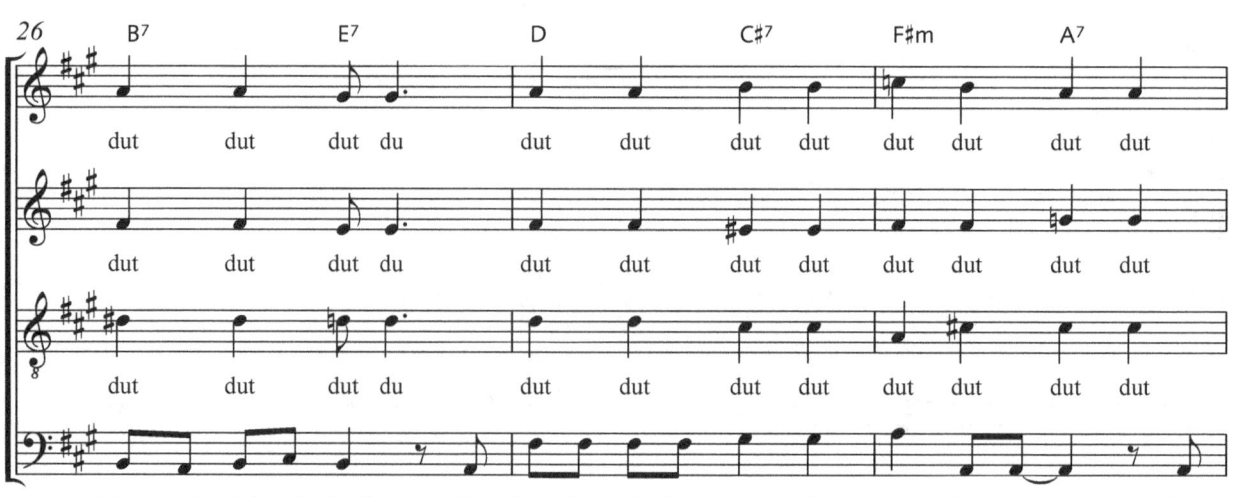

20

A   B   C#m⁷   Dm⁶ B/D#   D/E

du du   du du ba dap bap ba dap ba dap ba dap bai

du du   bap bap bap bap dap ba dap ba dap bai

du du   bap bap bap bap dap ba dap ba dap bai

1. ist der Bass die Per - - le.
2. Häupt - ling der A - pa - - chen. } bao bao bao bao bao ba bai

23 **Refrain**

A   F#m⁷   Bm⁷   D/E   A   F#m⁷

Dut dut dut dut dut dut dut ba dap dut dut dut dut

Dut dut dut dut dut dut dut ba dap dut dut dut dut

Dut dut dut dut dut dut dut ba dap dut dut dut dut

1.- 2. Hey, Ba - by, pro -bier's mal mit 'nem Bass! Hey, Ba - by, ein

26

B⁷   E⁷   D   C#⁷   F#m   A⁷

dut dut dut du dut dut dut dut dut dut dut dut

dut dut dut du dut dut dut dut dut dut dut dut

dut dut dut du dut dut dut dut dut dut dut dut

Bass macht viel mehr Spaß. Ein Bass hat ein-fach mehr Ge - müt - lich - keit._ Pro-

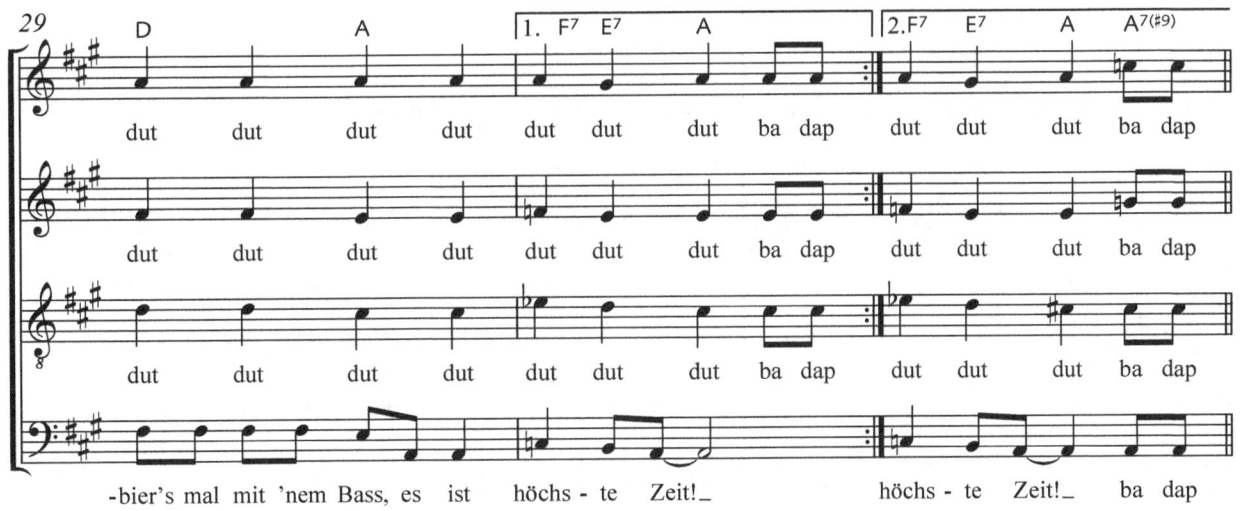

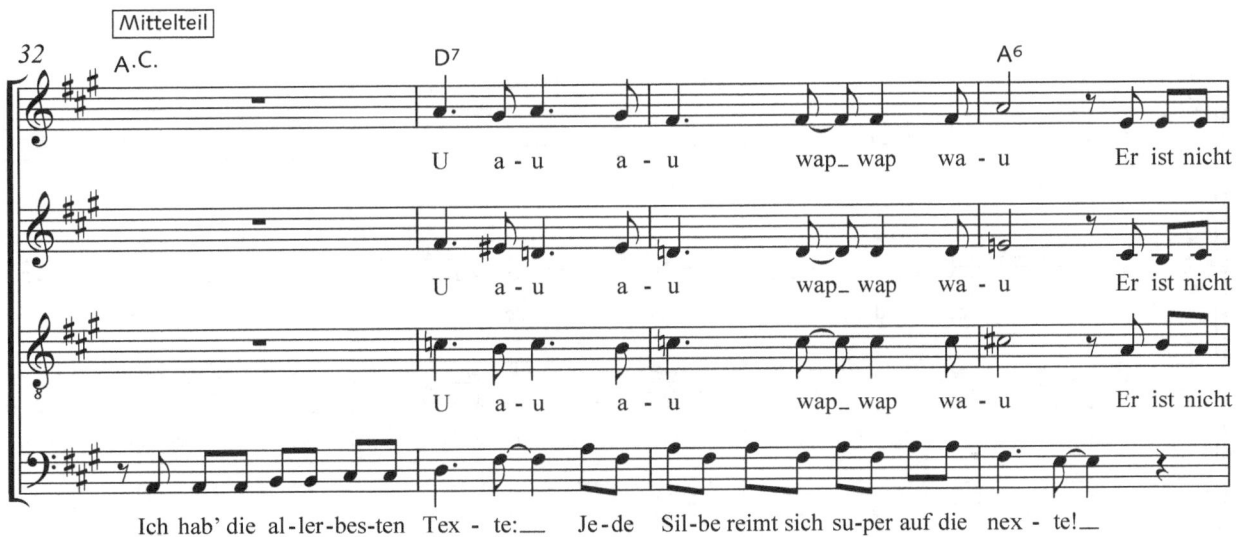

Presto ($\,$=188)

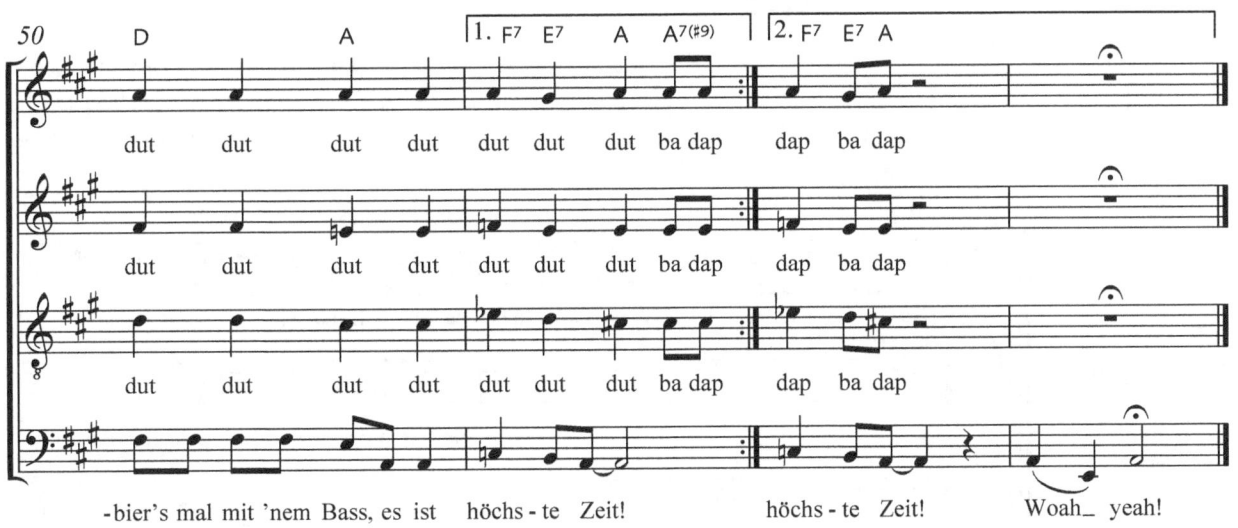

dut dut dut dut dut dut dut ba dap   dap ba dap

dut dut dut dut dut dut dut ba dap   dap ba dap

dut dut dut dut dut dut dut ba dap   dap ba dap

-bier's mal mit 'nem Bass, es ist höchs - te Zeit!   höchs - te Zeit!   Woah_ yeah!

Ruf doch mal an

Text: Daniel „Dän" Dickopf
Musik: Edzard „Eddi" Hüneke
Satz: Severin Geissler

*) nach Belieben aufteilen

Lyrics (melody line):

27 (C ... D ... E♭)
Fo - to ist in - zwi - schen ziem - lich an - ge - staubt. Wie - viel Jah - re ist das her? Ich

30 (Cm ... Gm ... F/G ... Gm ... F/G)
glaub', es sind sie - ben! Du zogst in die Welt hi - naus, und ich bin ge - blie - ben. Ich

33 (E♭ ... Cm ... D)
hab dich fast ver - ges - sen, dann hab ich dich ver - misst, jetzt will ich wis - sen, was aus dir ge -

Backing vocals: dap dao, dap dao, ba dap dao, ba ba, ba ba, dap dao, dap dao, dap

36

D⁷ | Gm | Eb | Bb | D (Refrain 2)

-wor - den ist!___ Ruf doch mal an,___ o - der schreib mir 'ne Kar - te,

dao dao dao dao Ruf doch mal an,___ o - der schreib mir 'ne Kar - te,

dao dao dao dao Ruf doch mal an,___ o - der schreib mir 'ne Kar - te,

39

Gm | Eb | Bb | Bb/F F | Bb | Cm

weißt du nicht, wie sehr ich auf ein Le-bens-zei-chen war - te? Schick mir 'ne Mail und 'ne

weißt du nicht, wie sehr ich auf ein Le-bens-zei-chen war - te? Ah___

weißt du nicht, wie sehr ich auf ein Le-bens-zei-chen war - te? Ah___

42

Bb | F | Bb | Cm | Bb | D

S M S da-hin - ter. Ich bin voll er-reich-bar, Früh-ling, Som-mer, Herbst und Win - ter.

ah ah ah ah ah

ah___

45 · Gm · Eb · Bb · D · Gm · Eb

Ruf doch mal an,__ ich sag es dir ganz deut - lich, ist es auch ein Fern-ge-spräch, die

Ruf doch mal an,__ ich sag es dir ganz deut - lich, ist es auch ein Fern-ge-spräch, die

Ruf doch mal an,__ ich sag es dir ganz deut - lich, ist es auch ein Fern-ge-spräch, die

48 · Strophe 2 · Bb · D · Gm · Bb

Te - le -kom, die freut sich! Wir ha - ben schon im Kin-der-gar-ten Dok-tor ge - spielt

Te - le -kom, die freut sich! Dap dao__ dap dao__

Te - le -kom, die freut sich! Dap dao__ dap dao__

51 · C · Eb7 · Gm

und mit ei - nem Schnee-ball auf den Nach-barn ge - zielt.__ Spä-ter in der Schu - le: Ein

dap dao__ dap dao__ ba dap dao__

dap dao__ dap dao__ ba dap dao__

Wie kann es sein

Text und Musik: Daniel „Dän" Dickopf
Satz: Severin Geissler

♩ ca. 76
Strophe 1

Sopran: Die Son - ne ver - sinkt___ und der Tag wird still___ und der
Alt: Die Son - ne ver - sinkt___ und der Tag wird still___ und der
Tenor: Die Son - ne ver - sinkt___ und der Tag wird still___ und der
Bass: Die Son - ne ver - sinkt___ und der Tag wird still___ und der

Lärm kommt all - mäh - lich zur Ruh'.___ Was auf - ge - wühlt war,___ wird

ru - hig und klar:___ Al - les, was ich brau - che, bist du.___ Die

210

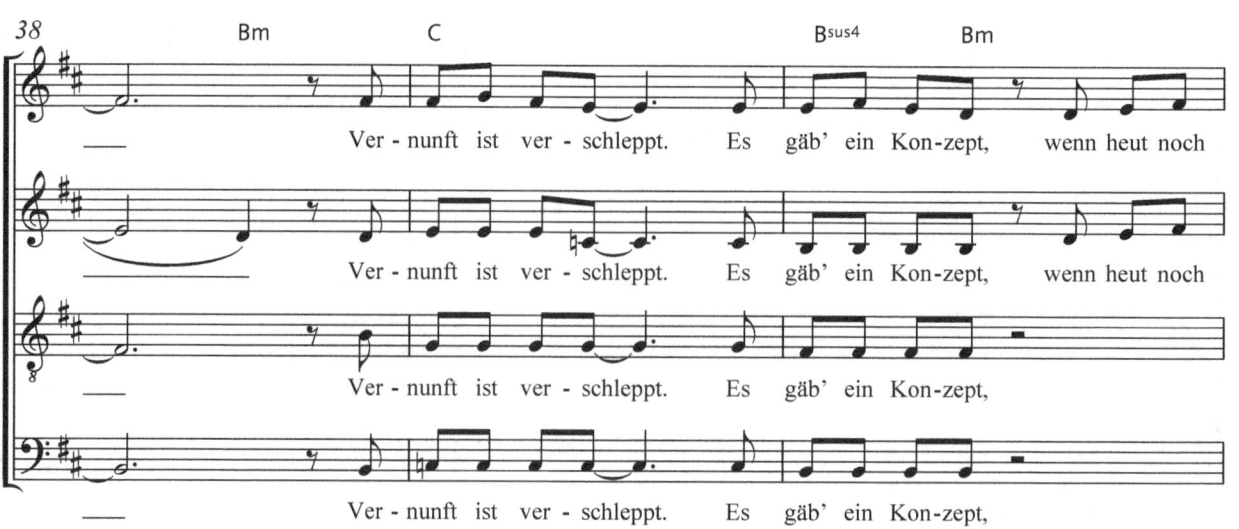

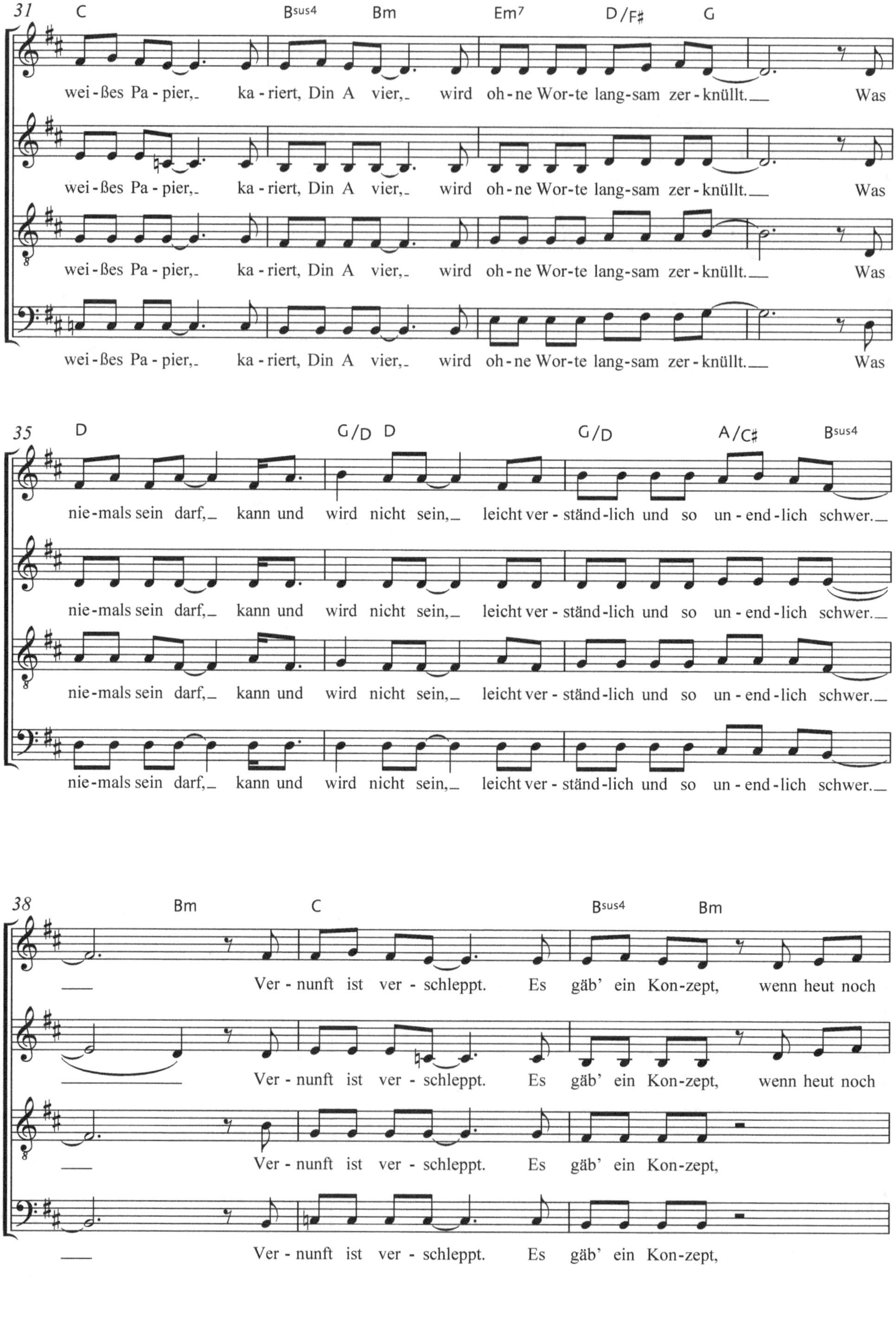
31 C Bsus4 Bm Em7 D/F♯ G
wei-ßes Pa-pier, ka-riert, Din A vier, wird oh-ne Wor-te lang-sam zer-knüllt. Was
wei-ßes Pa-pier, ka-riert, Din A vier, wird oh-ne Wor-te lang-sam zer-knüllt. Was
wei-ßes Pa-pier, ka-riert, Din A vier, wird oh-ne Wor-te lang-sam zer-knüllt. Was
wei-ßes Pa-pier, ka-riert, Din A vier, wird oh-ne Wor-te lang-sam zer-knüllt. Was
35 D G/D D G/D A/C♯ Bsus4
nie-mals sein darf, kann und wird nicht sein, leicht ver-ständ-lich und so un-end-lich schwer.
nie-mals sein darf, kann und wird nicht sein, leicht ver-ständ-lich und so un-end-lich schwer.
nie-mals sein darf, kann und wird nicht sein, leicht ver-ständ-lich und so un-end-lich schwer.
nie-mals sein darf, kann und wird nicht sein, leicht ver-ständ-lich und so un-end-lich schwer.
38 Bm C Bsus4 Bm
Ver-nunft ist ver-schleppt. Es gäb' ein Kon-zept, wenn heut noch
Ver-nunft ist ver-schleppt. Es gäb' ein Kon-zept, wenn heut noch
Ver-nunft ist ver-schleppt. Es gäb' ein Kon-zept,
Ver-nunft ist ver-schleppt. Es gäb' ein Kon-zept,

Refrain
41
G D/F♯ D/A A G A Bm A F♯m G
al-les so wie vor-ges-tern wär. Wie kann es sein, dass das Glück sich ver-kehrt
al-les so wie vor-ges-tern wär. Wie kann es sein, dass das Glück sich ver-kehrt
al-les so wie vor-ges-tern wär. Wie kann es sein, dass das Glück sich ver-kehrt
al-les so wie vor-ges-tern wär. Wie kann es sein, dass das Glück sich ver-kehrt
45
A Bm A Bm A/C♯ D
und of-fen-bar je-de Lö - sung ver-wehrt? Lass uns die Sze-ne noch ein-
und of-fen-bar je-de Lö - sung ver-wehrt? Lass uns die Sze-ne noch ein-
und of-fen-bar je-de Lö - sung ver-wehrt? Lass uns die Sze-ne noch ein-
und of-fen-bar je-de Lö - sung ver-wehrt? Lass uns die Sze-ne noch ein-
48
D/F♯ G Em7 D/F♯ Em D/F♯
- mal dreh'n! Mit viel Mut. Al-les wird gut.
- mal dreh'n! Du du du du du
- mal dreh'n! Du du du du du
- mal dreh'n! Du du du du du

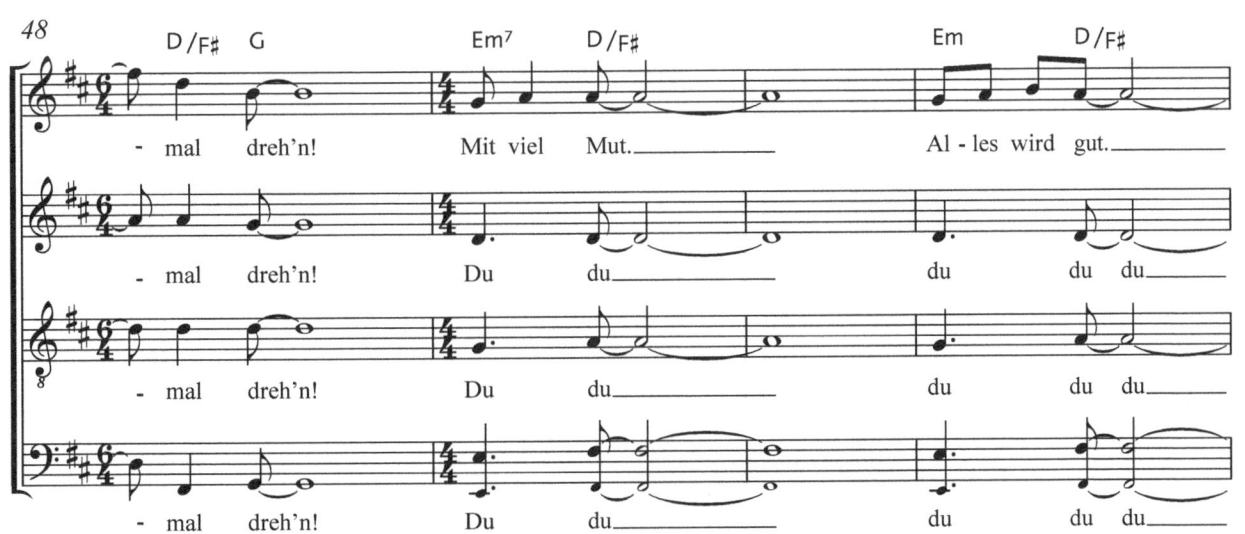

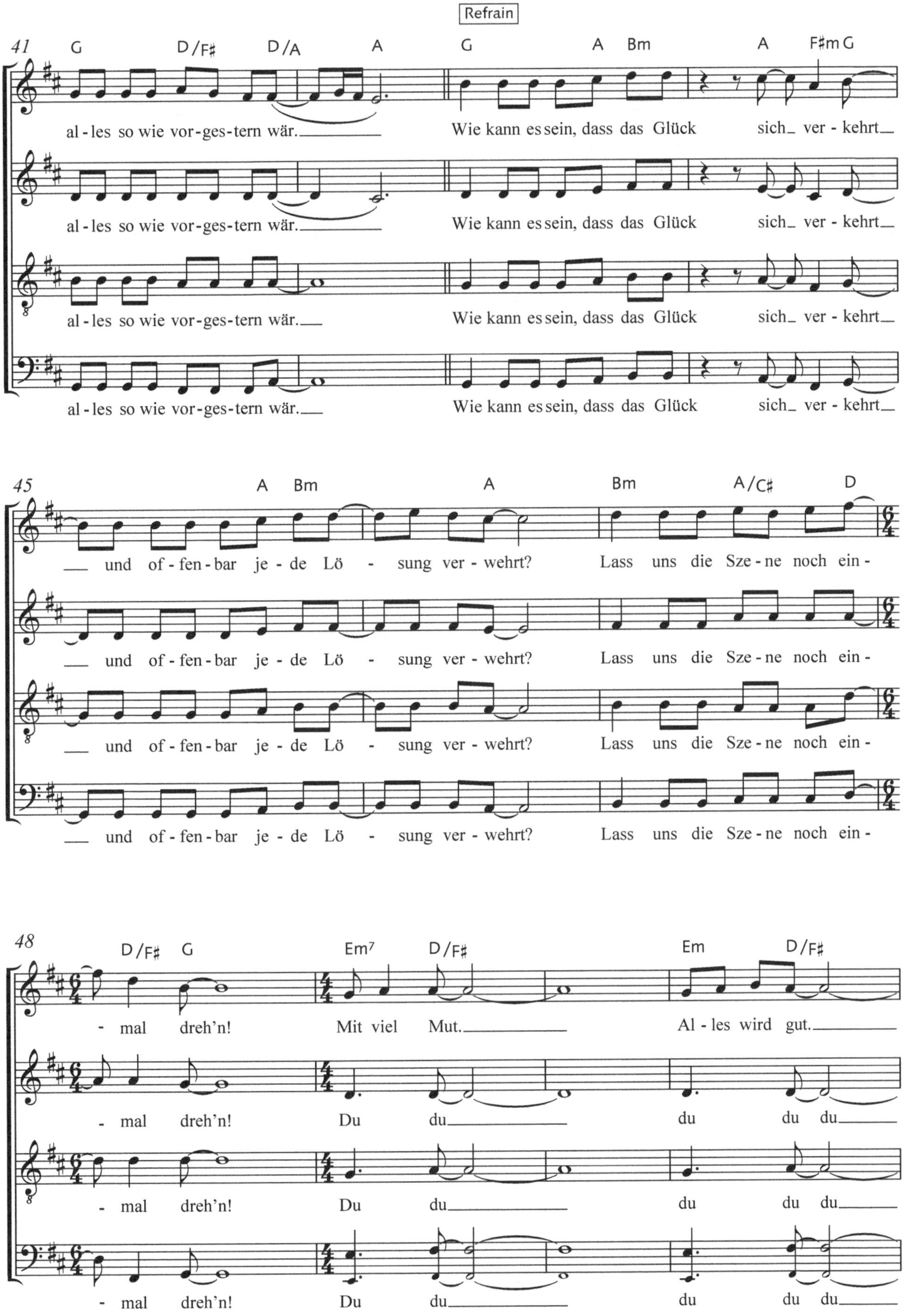

214

Schlaf jetzt ein,__ ich wür - - de gern__ bei dir sein!__

du du__ du du__ du

du du__ du du__ du

du du__ du du__ du

Schott Music, Mainz 52 950